LES ŒUVRES ROMANESQUES DE
BARBARA CARTLAND

BARBARA CARTLAND

Contrebandier de l'Amour

Le titre de ce roman en langue anglaise est :

LOVE IS CONTRABAND

Traduit par Arlette Rosenblum

16 361 006 (81

CHAPITRE PREMIER

— **E**NFER ET DAMNATION, TU M'AS ENcore battu !

Le duc de Westacre se leva de la table de jeu et lança les cartes à travers la pièce. Elles s'éparpillèrent par-dessus le tapis et l'élégant mobilier de marqueterie pour finir par se poser sur le damas de l'ottomane aux pieds fuselés :

Son compagnon se renversa sur sa chaise et se mit à rire.

— Tu deviens mauvais joueur, Trydon.

— C'est la troisième soirée de suite que tu me bats à l'écarté, répliqua le duc. Et j'ai juré de ne plus jamais te défier au pharaon !

— Tu connais le proverbe, n'est-ce pas ? demanda le capitaine Pereguine Carrington.

— Non, maugréa le duc, et je n'ai nullement l'intention de payer pour le savoir.

Derechef, Pereguine Carrington éclata de rire.

— Je te l'apprendrai pour rien, dit-il. Malheureux au jeu, heureux en amour.

Le duc lui décocha un coup d'œil furieux et, traversant le salon à grandes enjambées, ouvrit avec brusquerie une des hautes portes-fenêtres qui donnaient sur le jardin. L'air nocturne lui rafraîchit agréablement le visage pendant qu'il regardait dehors. Quelques heures plus tôt, une profusion de chandelles avaient illuminé les parterres de fleurs, le tour de l'étang aux nénuphars et le bord des allées conduisant au lac artificiel, mais elles s'étaient noyées dans leur propre suif ; maintenant il restait à peine quelques lanternes japonaises qui se balançaient dans la brise pour rappeler que le jardin s'était paré d'un air de fête et de gaieté.

— Eh bien ? questionna Pereguine Carrington qui n'avait pas quitté la table de jeu.

— Eh bien, quoi ? répliqua le duc, toujours rogue. Crois-tu donc que je me suis amusé ce soir ? Sapristi, Pereguine, j'avais l'impression d'être un renard ! Je sais maintenant ce que c'est que d'être pourchassé. Oui, pourchassé par ces satanées marieuses de mères et leurs couvées piaillantes qui sortent tout juste de l'œuf.

— Elles sont parties, maintenant, répondit Pereguine d'un ton consolant. Sa Seigneurie a passé la tête par la porte il y a deux heures environ. Je soupçonne qu'elle désirait te dire bonsoir mais, quand elle a vu que tu étais plongé dans tes cartes, le front plissé par une expression absolument féroce,

8

elle s'est retirée en m'adressant juste un petit signe de la main.

Le duc revint vers son ami et eut la bonne grâce de prendre un air presque confus.

— Je suppose que je devrais être reconnaissant envers ma marraine pour l'intérêt qu'elle me porte mais, que diable ! Pereguine, je n'ai aucune envie de me marier, un point c'est tout. Très joli de dire qu'il faut une châtelaine au manoir, une hôtesse à Londres ! Mais c'est moi qui devrai vivre avec la donzelle, pas ma marraine ! Ni ces maudits tuteurs qui me rendent la vie impossible en me remontrant perpétuellement ce qu'on attend de moi.

— Voilà ce que c'est que d'être duc, dit Pereguine avec entrain. En d'autres termes, tu ne peux pas avoir la couronne ducale sans la payer.

— Je n'ai jamais voulu être duc ! Je ne m'attendais pas à l'être ! S'il y a quelque chose qui me donne envie de défier à moi seul l'armée entière de Napoléon, c'est bien qu'il ait tué mon cousin.

— Tu n'exagères pas un peu, Trydon ? répliqua Pereguine nonchalamment. La plupart des gens donneraient leur bras droit pour être à ta place.

— Je sais, je sais, grommela le duc. Je suis ingrat... c'est ce que tu penses, n'est-ce pas ? Oui, bien sûr, j'apprécie d'être quelqu'un d'important après avoir été un parent pauvre pendant tant d'années. Oui, bien sûr, je suis heureux de mon domaine, de ma position à la cour et du fait que l'on écoute respectueusement mes opinions !

— Tu ressembles à Mathusalem... ce vieux birbe

dont on nous parlait au collège d'Eton ! s'exclama Pereguine en riant.

— Je me sens aussi las que lui, riposta le duc. J'étais parfaitement content de mon sort jusqu'à ce qu'on commence à me rebattre les oreilles de cette affaire de mariage. « Il vous faut une duchesse », « Une femme est indispensable dans votre situation », « Vous devez recevoir, ce que ne peut pas faire un célibataire ». On me harcèle tout le temps. Matin, midi et soir ! Pour comble, voilà ce bal abominable avec toutes les demoiselles qui me défilent sous le nez comme si j'étais un sultan qui va choisir une concubine.

— Non, non, protesta Pereguine. Mauvaise comparaison, mon vieux. Les concubines ne ressemblent pas du tout au genre de femmes que nous avons vues ce soir.

— Je pense bien que non !

Le duc retrouva subitement son humour et, rejetant la tête en arrière, rit d'aussi bon cœur que son ami.

— As-tu remarqué ce tendron qui avait une rose blanche dans les cheveux ? demanda-t-il. Je n'ai jamais vu un visage aussi vide d'expression. Elle avait l'air hallucinée. Eh bien ! ma marraine m'a déclaré en propres termes qu'elle ferait une épouse parfaite pour moi. « Vous vous accorderiez bien, m'a-t-elle dit ; les terres de son père rejoignent au nord celles de Westacre. »

— Oh ! tu ne voudrais quand même pas d'une fille comme ça ? s'indigna Pereguine.

— Ma foi non, répliqua le duc. Elles sont toutes là à me regarder avec convoitise quand je danse avec elles et j'ai compris que toutes pensent à la séduction que leur donneraient les diamants de la famille Westacre.

— L'ennui avec toi, déclara Pereguine, c'est que tu commences à te prendre un peu trop au sérieux.

— Non, ne crois pas ça, répondit le duc. La vérité, c'est qu'après deux ans de cérémonie je commence à ronger mon frein. Sais-tu où j'aimerais être plus que n'importe où au monde ?

Tout en parlant, il s'était de nouveau levé et se dirigeait vers la fenêtre.

— Non, où donc ? questionna Pereguine avec intérêt.

— Dans la Péninsule, avec le reste du régiment ! T'ai-je dit que j'avais demandé à *Prinny* de retourner là-bas ?

— Et qu'a répondu Son Altesse Royale ? demanda Pereguine.

— Le prince s'est mis dans une colère noire, répondit le duc. Il a déclaré que s'il pouvait agir à sa guise, étant donné les pertes en vies humaines et l'argent que coûte cette guerre, il ramènerait en Angleterre l'armée entière. Il ne voulait pas que ses ducs — ses ducs, tu te rends compte ! — risquent d'être capturés ou tués comme la piétaille des fantassins pour que Napoléon chante encore victoire ! Bref, il s'est tellement monté que j'ai dû me retirer.

— Tu sais que *Prinny* déteste la guerre, commenta Pereguine.

— Je ne crois pas que personne aime ça, répliqua le duc. Napoléon n'a jamais paru plus formidable. Il a l'Europe entière sous sa botte et est prêt à tout pour nous anéantir.

— Il n'y réussira pas tant qu'il y a Collingwood, dit Pereguine. Combien possédons-nous de vaisseaux en mer actuellement... huit cent cinquante ? Napoléon y réfléchira à deux fois avant de nous attaquer !

— Il faut que ce soit nous qui l'attaquions, voilà la solution, s'exclama le duc. Mais, moi, je ne dois pas m'en occuper. Au lieu de rêver de batailles, je dois envisager le mariage !

— Les deux sont quelquefois synonymes, dit son ami avec un sourire.

— Quand tu deviens sentencieux, tu es ennuyeux comme la pluie, rétorqua le duc. Viens, si tu es sûr qu'aucune de ces jeunes minaudières ne se cache dans le couloir, allons nous coucher.

Pereguine Carrington se leva lentement et ramassa un tas de guinées restées sur la table de jeu. Il était obligé de garder les pièces d'or dans sa main car pas une n'aurait tenu dans les poches de son pantalon collant ou de son habit bien coupé qui le moulaient comme un gant. Arrivé à la porte, il s'arrêta et jeta un coup d'œil derrière lui à son ami qui traversait la pièce sans hâte, l'air soucieux.

— Tu veux que je te dise ? s'écria-t-il. Tu en demandes trop.

— Comment cela ? questionna le duc.

Pereguine le contempla pensivement.

— Beau garçon, sportif enragé, cavalier hors de pair, dangereux duelliste, gloire du turf, un *Incomparable*, riche comme Crésus, duc enfin, et tu voudrais encore faire un mariage d'amour !

— Ne dis pas ça, s'exclama le duc. Rien que d'en parler me donne mal au cœur. Tout ce que je désire, c'est que les femmes me laissent en paix.

— Voilà une doctrine que tu ne pratiques guère quand tu es à Londres, remarqua Pereguine. Il y a là-bas une petite oiselle qui ne chanterait certainement pas la même chanson.

— Ah, Janita ! C'est autre chose, tu le sais bien. Si jamais il y a eu femme auprès de qui on puisse se détendre et se distraire, c'est bien Janita.

— Trop dispendieuse pour mon goût, répliqua Pereguine. Ces chevaux bais que tu lui as donnés font l'envie du Parc.

— Ils lui plaisaient parce qu'ils sont de la même couleur que ses cheveux, expliqua avec indifférence le duc qui ouvrit la porte et précéda son ami dans le vestibule.

Un laquais ensommeillé leur tendit deux chandeliers allumés. Il n'y en avait vraiment pas besoin car les bougies placées dans les appliques d'argent du mur éclairaient encore bien qu'elles fussent à moitié consumées.

— Bonne nuit, dors bien, lui souhaita Pereguine avec une nuance d'affection dans la voix quand ils eurent monté l'escalier. La situation te paraîtra peut-être plus gaie demain matin.

— J'en doute, dit le duc sombrement. Si je connais bien ma marraine, elle va se mettre à m'interroger sur ces tendrons tout juste sortis du nid avant que j'aie ouvert complètement les yeux.

— Je rends grâce au ciel de n'être qu'un homme du commun ! s'écria en riant Pereguine qui se dirigea vers sa chambre au bout du couloir.

Avec un soupir, le duc tourna le bouton de porte de la sienne. En dépit de sa fatigue, il le sentait, il aurait aimé continuer à bavarder. Il fut surpris de trouver la pièce plongée dans l'obscurité. Pendant un instant, il crut s'être trompé. Son valet aurait dû l'attendre car, si tard qu'il vînt se coucher, il y avait toujours des bougies neuves et, quand la nuit était froide, un feu brûlait dans l'âtre.

Il avait en effet découvert que le fait d'être duc comportait entre autres avantages de jouir du plus parfait confort, que des centaines de gens s'employaient à lui assurer.

« Ce ne doit pas être ma chambre », pensa-t-il en levant plus haut sa bougie. La lumière troua la pénombre et il se figea soudain sur place. Il resta immobile pendant une seconde puis, avec une rapidité de mouvement qui dénotait que sous son apparence languide se dissimulait une vivacité acquise grâce à sa formation militaire, il sortit de la chambre à reculons et referma la porte derrière lui. Il se précipita au bout du couloir et fit irruption dans la chambre de Pereguine Carrington qui enlevait son habit de satin et se retourna avec surprise.

— Tiens, Trydon ! Je te croyais rentré chez toi.

Le duc referma la porte.

— Pas de valet ? s'enquit-il d'un ton soupçonneux.

Pereguine parut presque embarrassé.

— A franchement parler, je lui avais dit d'aller se coucher, expliqua-t-il. Il n'est plus de la première jeunesse, il a servi mon père avant moi et cela me semble vraiment exagéré de le faire rester debout des nuits entières.

— Ça ne m'intéresse pas, tes raisons d'avoir ou de ne pas avoir de valet, riposta le duc avec humeur. Pereguine, il faut que je m'échappe d'ici.

— Qu'est-ce que tu veux dire ? demanda son ami stupéfait.

— Je veux dire ce que je dis, répliqua le duc en posant son chandelier sur la table. Sinon, je suis fait comme un rat.

— De quoi diable parles-tu ?

Le duc s'assit au bord du lit.

— Quand je suis entré dans la chambre, tout à l'heure, devine qui s'y trouvait.

— Le vieil Hardy, je suppose, ou l'autre — je ne sais plus comment on appelle ton second valet. Qui t'attendais-tu à voir ?

Le duc prit une aspiration profonde.

— Hardy n'y était pas. Il faisait noir dans la pièce mais, à la clarté de ma bougie, j'ai pu voir qui était dans mon lit.

15

— Bonté divine ! s'exclama Pereguine. Dans ton lit ? Qui donc ?

— Je crois — mais je n'en suis pas sûr, note bien — que c'est la petite blonde avec qui j'ai dansé au début de la soirée et juste après le dîner.

— C'est Isobel Dalguish, dit Pereguine. Elle n'est pas trop vilaine, mais sa mère a la rage de la marier. Freddy Mellington m'a raconté qu'elle avait jeté son dévolu sur lui, la saison dernière, et qu'il avait eu un mal de tous les diables à s'en débarrasser. Il a même été jusqu'à menacer de quitter Londres. Il paraît qu'elles lui sautaient dessus dès qu'il se montrait quelque part.

— Eh bien ! apparemment, j'ai remplacé Freddy Mellington, grommela le duc.

— Fichue situation, commenta Pereguine.

— Je te l'ai dit, je m'en vais, déclara le duc. Maintenant et sans plus tarder !

— Grands dieux ! Est-ce sage ? s'enquit Pereguine.

— Tu dois avoir une cervelle d'oiseau si tu ne prévois pas ce qui va se passer si je reste, rétorqua le duc. Je parie que sa mère rôde dans le couloir en attendant que je sois bien installé dans la chambre. Après quoi, elle s'y précipitera et fera une scène à tout casser.

— Seigneur ! Je n'avais pas pensé à ça, s'écria Pereguine.

— Moi, si, dit le duc d'une voix dure. Je ne suis pas si naïf que je ne sache quelle est la conduite

16

correcte à adopter en pareille circonstance : il faudrait que je demande la jeune fille en mariage.

— Tu n'as qu'à ne pas retourner là-bas, proposa Pereguine. Passe la nuit ici.

— Si bonne que soit l'explication que je donnerais, répliqua le duc, il y aura toujours leur parole contre la mienne que c'est moi qui ai invité la demoiselle à venir dans ma chambre. Bien sûr, il est parfaitement répréhensible qu'elle ait accepté cette invitation. Mais il n'y a pas de doute que le dommage irréparable subi par sa réputation sera compensé par le fait de devenir duchesse de Westacre.

— Mes compliments, commenta Pereguine. Tu sais drôlement bien éviter les traquenards. Du diable si j'aurais su quoi faire.

— Si tu avais la moindre jugeote, tu aurais fait ce que je vais faire maintenant, rétorqua le duc. Il va falloir que tu me prêtes des vêtements. Une chance que nous soyons à peu près de la même taille. J'empruntais toujours tes affaires à Oxford parce que tu étais plus à l'aise que moi et que tu pouvais te permettre d'aller chez un tailleur plus coûteux.

Pereguine eut un geste de la main vers l'armoire.

— Tout ce qui est à moi est à toi, déclara-t-il d'un ton grandiloquent.

Le duc ne perdit pas de temps. Il enfila la culotte de cheval de Pereguine, noua d'une main experte une cravate blanche empesée autour de son cou et mit la veste en whipcord gris foncé qui ne pouvait avoir été coupée que par un maître tailleur.

— Dieu merci, nous avons le même bottier, dit le duc en introduisant ses pieds dans une paire de bottes à la Souvaroff dont le cuir avait été lustré au champagne.

— Hé là, tout doux, mon vieux ! s'écria Pereguine. C'est ma paire neuve. Je ne l'ai portée qu'une fois.

— Achètes-en une autre et fais-la inscrire sur mon compte, répliqua le duc.

— Je n'y manquerai pas, dit Pereguine. Et maintenant auras-tu la bonté de me dire ce que je dois raconter demain matin à ta marraine ? Elle nous a laissés ensemble quand elle est allée se coucher et, si on ne te trouve pas, la première personne à être interrogée sera moi.

— Tu n'as qu'à lui expliquer, dit le duc pensivement, que j'ai reçu un message m'informant que j'étais attendu d'urgence quelque part pour des questions militaires importantes.

— Tu t'imagines qu'elle va croire ça ?

— Oui, si tu le lui annonces avec une conviction suffisante. Tu as toujours su bien mentir, Pereguine. Ou tout au moins tu t'es toujours débrouillé pour te sortir d'affaire. En cette occasion, fais de ton mieux pour moi.

— J'espère que je réussirai, dit Pereguine sans enthousiasme. J'ai bonne envie de t'accompagner. Où vas-tu, à propos ?

— Du diable si je le sais. Je crois que je vais filer à travers champs jusque chez Charles Bryant. Il me

semble qu'il habite quelque part le long de la
côte.

— C'est exact, pas très loin de ce coin que *Prinny*
vante tellement : Brighthelmstone. Si tu gardes la
mer à ta gauche, tu n'auras pas grand mal à y arriver.

— Je ne reviendrai pas à Londres avant plusieurs
jours, dit le duc.

Il se leva et s'examina dans la glace de
l'armoire.

— Sapristi ! Weston m'a tout l'air de couper
mieux tes vestes que les miennes.

— Si tu me déformes celle-ci, il faudra que tu
m'en donnes aussi une neuve, menaça Pereguine.

— Cherche ce qui peut te convenir dans mes
affaires, acquiesça le duc. Préviens Hardy que c'est
moi qui t'y ai autorisé, sinon il ne te laissera rien
prendre.

Le duc saisit un chapeau de castor à forme haute
sur le rayon le plus élevé de l'armoire. Puis, le
posant crânement de côté sur sa tête, il ajouta :

— A propos, Pereguine, tu ferais bien de me
redonner les guinées que tu m'as gagnées et toutes
les autres que tu as sous la main. J'aurai peut-être
besoin d'argent si Charles n'est pas chez lui ou si j'ai
des ennuis en route.

— Tout ce que je possède, répliqua Pereguine,
est dans la coiffeuse, dans le petit tiroir du dessus.

Le duc ouvrit le tiroir et siffla entre ses dents.

— Tu es drôlement en fonds, mon vieux.

— Pour tout dire, j'ai gagné mille livres au vieux

19

Buckhaven avant le dîner. Cela devait se passer pendant que tu flirtais avec l'ambitieuse Isobel.

— Ne me parle pas de cette fille, s'exclama le duc d'un ton péremptoire. J'aimerais tordre le cou à sa mère pour m'avoir tendu un piège pareil. Et dire que des hommes moins astucieux que moi auraient pu y tomber !

— Tu es trop sûr de toi, répliqua Pereguine en souriant. Un de ces jours, tu te feras prendre, c'est moi qui te le dis.

— Je te parie vingt-cinq livres que non, déclara le duc.

— Pari tenu ! Et dans l'année.

— D'accord ! Tu as pratiquement perdu ton argent, tu sais. A partir d'aujourd'hui, je vais éviter toutes les femmes. Je ne veux plus en entendre parler.

— Dois-je dire cela à ta marraine ? questionna Pereguine malicieux.

— Non, laisse-la le découvrir toute seule. Mais, pour ta gouverne, sache que personne ne réussira à me décider au mariage en me tarabustant. Désormais, je ne me laisserai plus harceler. J'en ai assez ! Il y a une chose que je te garantis, c'est que je demeurerai célibataire. Les diamants des Westacre peuvent bien rester dans le coffre de la banque jusqu'à ce qu'ils noircissent, je m'en moque éperdument.

Pereguine éclata de rire. Il riait encore quand le duc sortit de la pièce en refermant la porte derrière lui avec des précautions inhabituelles pour ne pas faire de bruit. L'idée de Sa Grâce marchant dans le couloir sur la pointe des pieds de peur d'être entendue mit Pereguine tellement en joie qu'un temps considérable s'écoula avant qu'il parvienne à retrouver son sérieux et finisse de se déshabiller.

Entre-temps, le duc était arrivé aux écuries sans encombre, avait tiré du sommeil un palefrenier ; lequel réveilla un valet qui frappa à la porte du chef cocher de Sa Grâce. Après ce qui lui parut un délai très irritant, le duc se vit amener un de ses étalons noirs favoris. Il donna des instructions pour que ses autres chevaux et son phaéton soient renvoyés à Londres, puis il s'engagea dans les Downs, ces collines crayeuses du bord de la mer.

A l'idée qu'il laissait derrière lui la grande demeure et ses périls matrimoniaux, le duc éprouvait un soulagement quasi enivrant. Il mit sa monture au galop. Il chevauchait depuis plus d'une heure quand l'aube se leva et la nuit commença à s'éclaircir. Il s'aperçut qu'une épaisse brume marine noyait la campagne ; le terrain commençait alors à descendre. Le duc entendait toujours le martèlement des vagues sur sa gauche, mais son cheval avait perdu un peu de son entrain et ni l'un ni l'autre n'étaient plus aussi avides de vitesse qu'au début de leur course.

Ils avançaient avec précaution sur une lande semée d'ajoncs et de pierrailles qui auraient pu aisément provoquer une chute. Le duc se pencha pour caresser le cou de son cheval. Il s'avisait à présent qu'il avait été d'une témérité folle en se mettant à galoper dans le noir. Sa bête aurait pu se fouler un boulet en se prenant le pied dans un terrier de lapin et lui-même se rompre le cou.

Il était trop bon cavalier pour faire fi du danger et, comme le brouillard humide tourbillonnait autour de lui, il avança avec une prudence accrue, cherchant à sa droite et à sa gauche un repère lui permettant de s'orienter. Il avait chevauché bien des fois dans les Downs quand il était enfant, mais il comprenait qu'il s'était égaré, tout en sachant qu'il avançait dans la bonne direction. Le sol descendait toujours ; le duc devina qu'il aboutirait bientôt à l'une des nombreuses criques qui découpaient la côte sud.

Il eut subitement l'impression d'entendre des voix. Elles étaient assez proches. Instinctivement, il tira sur les rênes. Immobile et silencieux, il guetta un autre bruit. Une saute de vent inattendue souleva en partie le brouillard et un chuchotement rauque lui parvint :

— V'là quelqu'un qu'approche.

— J' lui transperce-t'y le corps ?

Le duc avait toujours eu l'ouïe très fine. Il retint son souffle, se demandant s'il avait bien entendu. C'est alors qu'une troisième voix, et à sa surprise une voix de femme, s'écria :

— Idiots ! Voulez-vous donc alerter les gardes-côtes ? Ce doit être le charretier que Philip a promis de nous envoyer.

— Ah, probable que c'est ça, acquiesça une des voix masculines.

Soudain, juste devant lui, le duc vit l'homme qui venait de parler. C'était un pêcheur chaussé de hautes bottes, avec un bonnet rabattu sur le front. Il n'avait pas l'air féroce, à part le fait qu'il tenait à la main un pistolet chargé et armé. Le duc eut l'impression que, en dépit des recommandations de la femme, il n'hésiterait pas à utiliser son arme.

— Qui va là ?

La question fusa, sèche.

Presque machinalement, le duc donna la bonne réponse :

— C'est Philip qui m'envoie.

Si l'homme fut soulagé, il ne le fit pas voir.

— Avance donc, tu es en retard.

Le duc le suivit, son cheval bronchant sur les galets qui avaient succédé à l'herbe molle de la colline. Ils se trouvaient dans une crique. Le vent lui soufflait au visage des lambeaux de brume, mais le brouillard se levait et le duc eut un bref moment de malaise. Creusée peut-être par un cours d'eau depuis longtemps asséché, la crique était très étroite et à peine y avaient-ils pénétré que les berges les enserrèrent comme un mur de chaque côté, si bien qu'en marchant derrière l'homme à la lanterne il lui semblait avancer avec son cheval dans un tunnel.

Puis, surgissant de la brume comme par magie, d'autres hommes apparurent : ils étaient environ une douzaine, tous des pêcheurs, à côté d'une barque remontée très haut sur les galets. Le duc comprit pourquoi ces gens avaient eu peur de lui et pourquoi il ne fallait pas faire de bruit qui mette en

23

alerte les gardes-côtes. Ceux-ci n'auraient eu qu'à jeter un coup d'œil sur les barils alourdissant l'arrière du bateau ou la grosse pile de ballots entassés à l'avant pour comprendre qu'ils avaient affaire à des contrebandiers. C'étaient, songea aussitôt le duc, des hommes dangereux qui, s'ils concevaient des soupçons à son égard, n'hésiteraient pas à lui trancher la gorge et à jeter son corps à la mer.

— Vous êtes en retard.

C'était la femme qui avait parlé un peu plus tôt. Elle avait une voix cultivée et le duc la considéra avec stupeur. Elle était chaussée de bottes hautes comme les pêcheurs et il constata avec une certaine désapprobation qu'elle portait un pantalon. Elle avait une vieille redingote à basques amples d'une coupe ancienne, datant de l'autre siècle, et un foulard noir lui couvrait les cheveux.

— Allons, dépêchez-vous ! dit-elle d'un ton impatient. Les hommes sont fatigués et ils ne peuvent pas débarquer seuls la cargaison.

— Non, bien sûr, répondit le duc.

En entendant sa voix, elle lui jeta un bref coup d'œil soupçonneux, mais l'obscurité et le brouillard étaient encore trop intenses pour qu'elle voie son visage et, tandis qu'il mettait pied à terre, elle commença à donner des ordres à ses hommes.

— Montez d'abord les barils. Ce sont les plus lourds.

Le duc n'aurait pas su dire comment c'était arrivé, mais il se retrouva avec un baril de cognac sur l'épaule et il suivit les autres dans une caverne dont

24

la voûte basse les obligeait à courber l'échine, le long d'un couloir sinueux taillé dans le roc, puis d'un escalier branlant et d'un autre couloir, montant, montant toujours. Finalement, une lourde porte fut ouverte et il vit qu'il était, comme il s'y attendait, dans une longue salle obscure. Il n'aurait pas su dire si c'était la cave d'une résidence privée ou la crypte d'une église.

Comme il parcourait en sens inverse avec ses compagnons le couloir et l'escalier branlant, assemblé (il s'en rendait maintenant compte) avec de la corde, le duc s'efforça de se rappeler tout ce qu'il avait entendu dire sur les exploits des contrebandiers.

Il n'y avait pas un village ou un hameau sur les côtes du sud-est de l'Angleterre qui ne fût soupçonné d'être un repaire de contrebandiers. Les villageois et les fermiers du pays avaient bien trop peur pour les dénoncer et, qui plus est, la plupart d'entre eux tiraient d'une manière ou d'une autre un profit de la contrebande qui se pratiquait chez eux.

Un autre baril fut hissé sur l'épaule du duc. Cette fois, il lui parut incroyablement lourd. « La prochaine fois que je boirai du cognac, songea-t-il, je me rappellerai cela et je l'apprécierai mieux que je ne l'ai fait jusqu'ici. »

Il fallut encore gravir l'escalier, suivre les couloirs rocheux jusqu'à la cave. Au troisième voyage, ce fut un véritable supplice pour le duc de courber le dos en franchissant la caverne donnant sur la mer. Ses compagnons travaillaient en silence, sans s'arrêter ; tous semblaient uniquement préoccupés de déposer la cargaison en lieu sûr. Il leur était presque impossible de se voir, car le trajet n'était jalonné que de loin en loin par une lanterne vacillante. Mais audehors la brume avait disparu et les premiers rayons du soleil scintillaient sur la mer étale.

C'est en se penchant pour soulever un pesant ballot à l'avant du bateau que le duc sentit son pied déraper sur les galets couverts de varech et il tomba en s'écorchant la main contre un bout de fil de fer qui s'était détaché d'un des colis. Il proféra involontairement un juron et aussitôt apparut la femme à qui il n'avait guère prêté attention pendant le charriage des barils.

— Chut ! Pas de bruit, ordonna-t-elle. — Puis, d'un autre ton : — Vous vous êtes fait mal ?

— Pas trop, répliqua le duc d'un air morose en regardant le sang qui dégouttait de sa main. « Les bottes à la Souvaroff de Pereguine, songea-t-il, ne valent rien pour marcher sur des galets mouillés. » Mais ce n'était pas le moment de le dire.

— Vous vous êtes coupé ! s'écria la femme. Ce sera votre dernière corvée. Après cela, je m'occuperai de votre main.

Il ramassa le ballot pour refaire le long trajet épuisant jusqu'à la cave. Il le déposa sur le sol et, jetant un coup d'œil sur les marchandises rassemblées là, se dit que c'était un beau butin. Quelqu'un allait en tirer une coquette somme, conclut-il en suçant la plaie de son pouce tout en revenant au bateau.

Le duc avait dû être plus lent que ses compagnons

car, en arrivant à l'entrée de la caverne, il découvrit qu'ils avaient tous disparu aussi silencieusement qu'ils étaient venus. En contemplant l'embarcation, qui avait l'air d'un bateau de pêche très banal avec des filets étalés pour sécher, il eut presque l'impression d'avoir rêvé toute cette aventure. Mais il y avait son pouce blessé et la femme en vieille redingote d'homme et hautes bottes de pêcheur pour lui confirmer que son imagination ne lui avait pas joué un tour.

Elle parla au moment où il approchait.

— Faites-moi voir votre main. C'est une vilaine coupure et elle est sale. Il faut la nettoyer, sinon elle s'envenimera.

— Je me débrouillerai, dit le duc. Est-ce qu'il y a une auberge dans le voisinage ?

Elle leva la tête et, pour la première fois, il se rendit compte de sa jeunesse. Son visage était sali et barbouillé, mais elle avait de grands yeux bordés de longs cils noirs.

— Vous ne pouvez pas aller à l'auberge, répliqua-t-elle. Voyons, vous devez bien le savoir. Les gardes-côtes sont toujours à fourrer leur nez partout et à poser des questions.

— D'accord, j'irai un peu plus loin sur la côte.

— Il faut d'abord que je vous bande la main, murmura-t-elle comme si elle se parlait à elle-même. Venez, suivez-moi, et espérons que personne ne nous verra.

Elle se détourna et s'éloigna, tenant pour acquise

son obéissance. Parce qu'il était curieux, il lui
emboîta le pas sans mot dire.

Il mourait d'envie de monter à cheval mais elle
était à pied et il ne pouvait pas faire autrement que
de marcher lui aussi. Il entraîna sa bête, la tenant
par les rênes. C'est alors qu'il se rendit compte à
quel point il avait le dos courbatu ; la tête lui tournait presque d'avoir fourni un tel effort après une
nuit blanche.

« Comme Pereguine aurait ri, songea-t-il, s'il
m'avait vu coltiner des barils de cognac de contrebande. » Quand ils émergèrent de la crique, le duc
aperçut dans le soleil matinal ce qu'il s'était attendu
à voir : une vaste maison située non loin de la mer,
mais protégée par l'élévation du terrain et une plan-
tation d'arbres contre les vents marins.

C'était une ravissante demeure, construite sans
doute à l'époque élizabéthaine, car ses briques d'un
rouge chaud étaient patinées par l'âge. Avec ses jardins clos de murs d'un côté et ses écuries anciennes
de l'autre, elle paraissait à l'abri de toute atteinte
soit de la mer, soit de la terre. « Une cachette idéale
pour des contrebandiers, se dit le duc, avec ou sans
le consentement de son propriétaire ! »

La femme qui le précédait était arrivée aux écuries. Elle s'arrêta un instant pour appeler quelqu'un
et, quand le duc la rejoignit, un très vieux palefrenier, ridé et ratatiné, sortait de l'une des stalles en
traînant les pieds.

— Ned, prends ce cheval, ordonna-t-elle, et bou-
chonne-le. On en aura besoin très vite.

Le palefrenier ne répondit rien et le duc eut l'impression qu'il le dévisageait avec hostilité.

— Venez avec moi, dit sèchement la femme.

Le duc la suivit en direction de la maison. Elle évita l'entrée principale — il le remarqua — et pénétra par ce qu'il supposa être la porte de la cuisine. Ils longèrent un couloir dallé et franchirent une porte matelassée. Leurs pas résonnaient avec un fracas démesuré et le duc eut l'impression que la maison était étrangement silencieuse.

La femme ouvrit une porte à main droite : elle donnait dans une petite pièce qui avait été jadis meublée avec goût mais dont le mobilier était maintenant usagé et défraîchi.

— Attendez ici.

Ce n'était pas une invitation ; c'était un ordre.

L'inconnue fit demi-tour et quitta la pièce en refermant la porte derrière elle. Le duc entendit avec stupeur la clef tourner dans la serrure.

CHAPITRE II

L E DUC CONSIDÉRA LA PORTE VER-
rouillée avec l'expression que ses compagnons
d'armes, au temps où il était militaire, lui
avaient vue lorsqu'il flairait un danger. Puis il se
dirigea vers un fauteuil où il s'installa en allongeant
les jambes.

L'épaule qui avait porté les barils le faisait souffrir ; écartant délibérément toute réflexion sur sa
situation présente, il calcula que chaque baril, équi-
valant à peu près au quart d'un quartaut, devait
peser dans les vingt-cinq kilos une fois plein.

Il se rappela avoir entendu récemment un député
dire que la contrebande intensive sur les côtes
anglaises faisait perdre au Trésor près de
60 000 livres par an. Il essaya d'évaluer les bénéfices
réalisés par les contrebandiers dans cette expédition.
Il se dit que les hommes entrevus vaguement dans le
brouillard et l'obscurité des grottes et des tunnels

paraissaient être de braves paysans, et non des espèces de bandits agressifs et dangereux comme il avait été induit à croire que sont d'ordinaire les contrebandiers. Mais qui diable a jamais entendu parler d'une équipe de contrebandiers dirigée par une femme ?

Le duc examina la pièce. En vérité, quelle femme pouvait pratiquer la contrebande et avoir en même temps ses entrées dans une maison comme celle-ci ? Les pièces de service avaient paru désertes et il pensa que le propriétaire de la demeure devait être absent et ne se doutait peut-être pas qu'elle était utilisée à des fins aussi illégales.

Le duc s'enfonça plus profondément dans le fauteuil. Si la situation était dangereuse, il n'y pouvait rien. La fièvre battait dans sa main, son dos était douloureux. Il ferma les yeux. Il commençait à sommeiller quand il entendit la clef tourner dans la serrure ; tout aussitôt il fut réveillé et sur le qui-vive sans pour autant changer de position. La porte fut ouverte presque brutalement et une petite femme potelée aux joues fraîches comme des pommes d'api entra d'un pas vif, une cuvette dans les mains.

— J'ai dit trente-six fois, s'écria-t-elle d'une voix aiguë sur un ton de remontrance, que je ne veux pas de vous autres propres à rien dans la maison. Quelle audace de s'insinuer comme ça ici ! Je l'ai déjà dit et je le répète...

Elle posa la cuvette sur la table, examina le duc comme si elle venait seulement de l'apercevoir et les mots moururent sur ses lèvres. Elle le dévisagea et, comme il se taisait, elle déclara sur un tout autre ton :

— Il paraît que vous êtes blessé à la main... monsieur.

Le duc se leva lentement.

— En effet, répondit-il. Je vous saurai gré de bien vouloir me la panser.

A bien la regarder, il déduisit qu'elle était la gouvernante ou peut-être la nourrice de la famille. Elle appartenait à un type qu'il connaissait bien. Il étendit la main au-dessus de la cuvette. Il avait entouré le pouce blessé avec un mouchoir qui était maintenant trempé de sang. Un instant, il se demanda si c'était un de ses beaux mouchoirs de batiste, brodé avec son initiale et sa couronne, ou un de ceux de Pereguine.

Quand la vieille femme le déroula avec précaution, le duc fut soulagé de constater qu'il était sans marque et ne lui appartenait donc pas.

— C'est une vilaine plaie, monsieur, reprit la femme, et sale aussi. Pour plus de sûreté, il faut verser un peu de cognac dessus. C'est ce qu'on dit que l'amiral Nelson conseillait à ses marins pour empêcher que leurs blessures s'enveniment.

Sans attendre sa réponse, elle sortit d'un pas pressé. Le duc, la main au-dessus de la cuvette, regardait le sang tomber goutte à goutte dans l'eau. Quand elle revint quelques secondes plus tard, elle portait un carafon en cristal taillé et un petit verre élégamment gravé.

33

— Je crois que le cognac me ferait plus de bien en usage interne qu'en usage externe, dit le duc en souriant.

— Je ne laisserai pas un contrebandier boire dans cette maison, répliqua sèchement la vieille femme.

Elle sursauta et jeta un coup d'œil par-dessus son épaule comme si elle avait peur de ce qu'elle disait et se mit à nettoyer la main du jeune homme. Cela lui fit si mal qu'il se crut sur le point de s'évanouir.

— Maintenant, ne bougez plus, lui intima-t-elle d'un ton autoritaire, puis elle versa le cognac sur la plaie.

Pendant un moment, la souffrance fut à peine tolérable. Le duc serra les dents et ne proféra pas un son. Un pansement de toile blanche fut posé sur la plaie et un bandage fait de lanières découpées dans une fine batiste fut solidement fixé autour de son poignet.

— Comment vous sentez-vous maintenant ? demanda la vieille femme, levant la tête pour la première fois depuis qu'elle avait entrepris sa tâche.

— Mieux que tout à l'heure, merci, répondit le duc qui sentait l'alcool brûler la chair à vif.

— La plaie n'est pas profonde, mais cela vous fera quand même mal pendant un jour ou deux. A présent, filez ! Vous n'auriez jamais dû venir ici.

— J'ai simplement obéi aux ordres, protesta le duc. Et si j'ajoute que je suis à moitié mort de faim parce que j'ai travaillé durement avec l'estomac vide, je suppose que cela ne servira de rien ?

— Vous avez faim ? questionna la vieille femme. Eh bien ! Je n'ai pas l'habitude de chasser les affamés qui s'adressent à cette maison. Asseyez-vous, je vais vous trouver quelque chose à manger, bien que ce soit à contrecœur.

Le duc eut l'impression qu'elle se faisait plus sévère qu'elle ne l'était réellement. Le regard qu'elle posait sur lui était bienveillant et il n'avait pas oublié le « monsieur » rajouté comme à regret qu'avait dû susciter sa mise.

Elle sortit d'un pas pressé et referma la porte mais, il le remarqua, sans tourner la clef dans la serrure.

Le duc s'approcha de la fenêtre et vit une roseraie élégamment dessinée centrée autour d'une statue. Au-delà, les jardins étaient bordés de haies d'ifs protectrices et, plus loin, il y avait encore des bosquets et des bois qui semblaient envelopper la maison d'un manteau vert.

Quel rapport avait la jeune femme avec tout cela ? Sa disparition piquait la curiosité du duc. Il essaya de se rappeler sa physionomie, mais ne put qu'évoquer un foulard noir ramené bas sur le front, un petit visage sali, la redingote ridicule avec ses amples basques démodées et les grandes bottes de pêcheur. Quelle amazone, cette jeune femme, pour affronter la traversée périlleuse entre l'Angleterre et le continent en même temps que la vigilance de plus en plus grande des gardes-côtes et des douaniers !

Il avait pensé, quand il y était entré, que cette

35

pièce était la retraite habituelle de la jeune femme, mais maintenant il n'en était plus si sûr. Il y avait une travailleuse en marqueterie à côté du fauteuil. Il y avait un tabouret recouvert d'une tapisserie qui devait être l'œuvre de doigts habiles. Il y avait un vase de fleurs disposées avec art sur une petite table cirée, les premières roses parfumées de l'été mêlées à des myosotis. C'était un ensemble d'harmonie et de beauté que seule une femme pouvait avoir créé.

La porte s'ouvrit, cette fois sans brutalité. La vieille femme entra portant un plateau.

— Voilà des œufs et du jambon, déclara-t-elle. Je n'ai pas le temps de vous préparer grand-chose d'autre. Si vous vous attendez à un festin de roi avec viande et pigeon gras, vous serez déçu.

— Je suis très reconnaissant d'avoir des œufs et du jambon, dit le duc en souriant.

Tout en parlant, il s'assit devant la table et machinalement, comme si c'était naturel, la vieille femme se mit à le servir. Il lui sembla qu'il n'avait rien mangé de plus exquis que ces œufs ; il y en avait trois, posés sur d'épaisses tranches frites de jambon de campagne. Il les engloutit littéralement.

— Et maintenant, qu'est-ce que vous boirez ? demanda-t-elle avec de la malice dans les yeux. Je ne dirai pas que j'aime voir les gens comme vous boire du cognac, mais si vous en avez envie il est là.

— Pourquoi pas du thé ? demanda le duc. Je parie qu'il y en a toujours des quantités dans cette maison.

Il eut la satisfaction de la voir rougir, le rose de ses joues prenant une teinte encore plus vive.

— Si c'est du thé que vous voulez, je vais aller vous en chercher, dit-elle, mais pas d'insolence, s'il vous plaît.

Le duc se crut revenu au temps de son enfance.

— Bien, Nounou. Je serai très heureux d'avoir un peu de thé.

— Et qui vous a permis de m'appeler « Nounou » ? s'exclama la vieille femme. Les gens du village m'appellent Mrs. Wheeldon et pour vous comme pour tout le monde je suis Mrs. Wheeldon. Nounou, vraiment ! Où allons-nous, je me le demande !

Elle quitta la pièce dans un bruissement indigné de tablier empesé et le duc se mit à rire à gorge déployée. Il avait deviné juste : une nourrice qui était restée l'autocrate de la nursery. Elle lui avait donné à manger parce qu'elle était incapable de laisser jeûner quelqu'un dont elle avait la charge quand bien même il avait fait des bêtises.

Il se tailla une tranche dans la miche de pain qui venait manifestement de sortir du four, la recouvrit d'une épaisse couche de beurre doré et entendit le pain croustillant craquer sous ses dents. Nul doute que le travail manuel aiguise l'appétit.

Il songea avec un sentiment de supériorité au petit déjeuner que Pereguine dégusterait un peu plus tard dans la matinée : un verre de cognac pour dissiper les fumées de l'alcool absorbé la veille ; puis il attaquerait du bout des dents une cuisse de poulet, une tranche de gigot ou peut-être un morceau de poule au pot. Mais après quelques bouchées il repousserait son assiette, presque écœuré à la pensée de la nourriture.

« Voilà la différence entre la vie au grand air et la vie mondaine », s'écria le duc tout haut comme s'il avait Pereguine devant lui.

La porte se rouvrit et le duc se tourna vers elle, s'attendant à voir Nounou et sa théière, mais ce n'est pas Nounou qui entra, claqua la porte et se colla le dos au battant. C'était une jeune femme — une jeune femme que le duc prit d'abord pour une inconnue. Puis il se rendit compte avec stupeur que c'était la fière contrebandière.

Ses cheveux blonds retombaient en boucles souples de chaque côté de son visage en forme de cœur ; ses yeux étaient bleu pervenche et frangés de cils noirs. Elle était beaucoup plus petite qu'elle ne le paraissait en bottes et pantalon. Pour l'heure, elle était habillée d'une robe de cotonnade sans élégance, dont la couleur avait passé à force d'être lavée et repassée, mais le duc ne fit pas grande attention à son apparence. Ses yeux étaient fixés sur le petit pistolet de duel qu'elle tenait à la main. Les deux jeunes gens se dévisagèrent pendant un instant puis, avec lenteur, le duc se leva.

— Restez où vous êtes, ordonna la jeune femme.

C'était la rude voix de commandement qu'elle avait eue en dirigeant l'enlèvement des marchandises de contrebande.

— Qui êtes-vous ?

38

— Cela a-t-il de l'importance ? s'enquit le duc.

— Vous êtes un imposteur, dit-elle d'un ton accusateur. Vous avez prétendu être envoyé par Philip.

— Et comment savez-vous que c'est inexact ?

— Un gamin vient d'apporter un message pour nous avertir que l'homme qui devait nous seconder hier avait été retardé parce que son cheval s'était déferré un sabot.

— C'est bien malheureux, commenta le duc.

— Malheureux pour vous, rétorqua la jeune femme. Qu'est-ce qui m'empêche de vous tuer ? Je ne peux pas vous laisser partir, vous en savez trop.

— Vous n'avez pas l'air assoiffée de sang. Pas habillée comme vous l'êtes maintenant. Je n'avais encore jamais rencontré de contrebandière. A la réflexion, je ne connais pas non plus de contrebandiers.

— Ne détournez pas la conversation, dit-elle avec colère en tapant du pied. Vous êtes ici sous de fausses apparences. Pourquoi ? Qu'est-ce que vous avez à y gagner ? A moins que vous ne soyez à la solde des gardes-côtes ?

— Je puis vous donner ma parole d'honneur au moins sur ce point, répliqua le duc. Je ne suis à la solde de personne.

— Alors pourquoi êtes-vous ici ? répéta-t-elle.

— Mettons que c'est le destin qui m'a envoyé, dit le duc. Et le fait que j'ai l'ouïe fine m'a évité de recevoir une balle en plein corps.

— Vous avez donc entendu ce qu'on disait ?

— Oui, répondit-il. J'ai entendu ce qu'on disait

et je pouvais difficilement, n'est-ce pas ?, faire autre chose que de déclarer que je venais de la part de ce fameux Philip.

La jeune femme soupira.

— Quel imbroglio ! Ainsi, vous ne faisiez vraiment que passer ? Mais alors pourquoi, pourquoi avez-vous aidé à transporter les barils jusqu'à la cave ? Pourquoi avez-vous participé à ce qui doit vous sembler quelque chose de mal et de répréhensible ?

— Peut-être parce que j'ai une répugnance particulière à me voir loger des balles dans le corps, répondit le duc. Vous n'avez pas à vous plaindre, ce me semble. J'ai fait ma part, si désagréable que ce fût, et vous devez reconnaître que j'ai été blessé à votre service.

En parlant, il agita son pouce bandé.

La jeune femme abaissa le pistolet.

— Qu'est-ce que je vais faire maintenant ? demanda-t-elle. Vous avez vu des choses que vous n'auriez pas dû voir et vous en savez trop. Vous pourriez nous perdre tous.

— Vous avez la ressource d'accepter ma parole d'honneur que je ne révélerai jamais à personne ce que j'ai vu ici.

— Comment puis-je avoir confiance ? s'exclama-t-elle avec colère. Surtout en quelqu'un comme vous.

— Comme moi ? répéta le duc, ahuri.

— Un gentilhomme ! Un freluquet de la haute société ! Ils sont tous les mêmes ! fut son jugement péremptoire. Ils ne pensent qu'à l'argent, toujours l'argent et ils sont toujours prêts à en grappiller. Si je vous laisse partir, vous ne tarderez pas à vous dire que vous êtes sans doute idiot de ne pas m'avoir extorqué de l'argent.

— Ai-je donc l'air tellement impécunieux ? questionna le duc.

— Les gentilshommes qui ont les poches bien garnies ne se promènent pas à cheval en pleine nuit sans être accompagnés d'un valet. Au fait, pourquoi en pleine nuit ? Avez-vous des ennuis, monsieur ?

Les yeux du duc pétillèrent.

— Peut-être bien. Auquel cas, êtes-vous disposée à m'aider ?

— Absolument pas, répliqua-t-elle avec humeur. J'ai assez de mes propres ennuis. Ce que je voudrais savoir, c'est ce que je vais faire de vous. Vous laisser partir me paraît imprudent et, manifestement, je ne peux pas vous garder ici.

— Alors il n'y a pas trente-six solutions, conclut le duc. Il faut que vous suiviez votre premier mouvement qui était de me tuer. Mais ne serait-il pas plus pratique que j'aille près de la mer ? Je présume que c'est là que vous jetterez le cadavre et ce sera une tâche formidable pour vous de m'y transporter une fois que je serai mort. Car Nounou a déclaré très nettement qu'elle ne voulait voir aucun de ces propres à rien sous son toit.

— Vous êtes impossible ! dit la jeune femme avec colère en posant le pistolet sur la table. Vous tournez tout en plaisanterie.

41

— Je ne comprends pas pourquoi vous êtes si grave, rétorqua le duc. Je vous promets de ne mettre en danger ni vous ni vos activités illicites. Laissez-moi vous remercier pour mon petit déjeuner, exprimer ma gratitude à Mrs. Wheeldon pour avoir bandé mon pouce, et, si votre palefrenier s'est occupé de mon cheval, je vais m'en aller. Vous ne me reverrez jamais.

— Je voudrais bien pouvoir en être sûre, dit-elle. Quel est votre nom ?

Le duc hésita à peine. Choisissant le nom qu'il portait avant d'hériter son titre, il n'eut pas à mentir.

— Raven... Trydon Raven pour vous servir.

— Je n'ai jamais entendu parler de vous, déclara-t-elle franchement. Ce n'est pas un nom de la région, n'est-ce pas ?

— Non, répondit le duc.

— Et vous avez des ennuis. Vous n'avez aucun désir d'attirer sur vous l'attention des autorités, peut-être ?

— Aucun.

— Je suppose donc que je peux vous laisser partir.

— Je crois que vous n'avez guère d'autre solution, acquiesça le duc. Avant que je parte, m'est-il permis de vous demander votre nom.

Il y eut un petit silence. Puis elle dit :

— Je ne vois pas d'inconvénient à ce que vous le sachiez. Je m'appelle Georgia Baillie..., tout au moins de mon nom de femme.

— Vous êtes mariée ? — Le duc était surpris ; il n'avait pas imaginé qu'elle pouvait avoir un mari.

— Oui, je suis mariée.

— Et votre mari vous autorise à pratiquer la contrebande ? Ce n'est pas une occupation de femme.

— Mon mari n'en sait rien, répliqua sèchement Georgia. Il est en mer et n'est pas revenu ici depuis notre mariage.

— Croyez-vous vraiment qu'il approuverait votre conduite ? J'imagine mal qu'un homme de bonne trempe — et j'ai la plus grande considération pour les officiers de la marine de Sa Majesté — permette à sa femme, surtout quelqu'un d'aussi jeune que vous, de s'associer avec des hommes dangereux comme ceux que j'ai vus auprès de vous la nuit dernière.

Georgia éclata de rire.

— Dangereux ! s'exclama-t-elle. Aucun des hommes que vous avez vus hier n'est dangereux. Ce sont nos tenanciers, je les connais tous depuis mon enfance.

— Alors pourquoi... commença le duc, aussitôt interrompu par un geste impératif de Georgia.

— Ne posez pas tant de questions, dit-elle. Partez, partez vite. Je ne comprends pas pourquoi je vous parle comme ça. Oh, pourquoi êtes-vous venu ici tout compliquer ? Je vous en ai beaucoup trop dit. Jurez-moi, jurez par ce que vous avez de plus sacré que vous ne répéterez pas à âme qui vive un mot de ce que vous avez vu ou entendu.

Elle le suppliait, ses yeux bleus levés vers lui, ses

lèvres roses tremblant un peu tant elle s'exprimait avec ardeur.

Il prit la main de la jeune femme dans sa main bandée.

— N'ayez crainte. Je vous jure que tout ce que j'ai vu et entendu depuis l'aube m'est totalement sorti de l'esprit.

— Vous comprenez, reprit Georgia dont les doigts frêles se crispèrent sur les siens, un seul mot mettrait en danger la vie de ces hommes. Un mot et ils risquent la pendaison ou la déportation. Vous ne voudriez pas avoir cela sur la conscience, n'est-ce pas ? Ils sont honnêtes et droits, c'est la dureté de la vie qui les a entraînés.

— Je vous crois, répliqua doucement le duc, mais renoncez à la contrebande. C'est une folie, un crime de courir pareils risques : tôt ou tard, vous vous ferez prendre. Ne vous leurrez pas.

Elle retira brusquement sa main et se détourna.

— Je connais parfaitement les dangers que nous courons, dit-elle, mais je ne peux rien y faire... rien. Maintenant, partez. J'ai accepté votre parole d'honneur et je suis convaincue que vous n'y faillirez pas.

Il ne voyait pas son visage, mais il comprit qu'elle tremblait.

— Ecoutez, dit-il. Laissez-moi vous aider. Cela me chagrine de penser que vous assumez ces risques insensés. Expliquez-moi pourquoi vous le faites.

Sa phrase était à peine achevée que Georgia se retournait vers lui avec vivacité.

— Je ne vous en dirai pas plus. Cela ne vous regarde pas, monsieur, et les gentilshommes — qu'ils soient ou non en difficulté — ne peuvent que nous nuire. Je vous en prie, allez-vous-en et oubliez ce que vous avez vu comme vous l'avez promis. Oubliez cette maison et tout ce qui s'est passé depuis que vous avez eu la malchance de venir dans les parages.

— Très bien. Je vous remercie, madame, de votre hospitalité.

Il ramassa son chapeau qu'il avait posé sur la table en entrant dans la pièce.

Georgia se tenait très droite et figée sur place. Il eut l'impression qu'elle souhaitait de toutes ses forces lui voir tourner les talons. Il fut piqué d'être ainsi congédié sans plus de façon.

— Puis-je dire au revoir à Nounou, demanda-t-il, ou plutôt à Mrs. Wheeldon puisqu'elle préfère qu'on l'appelle ainsi ?

— Non ! Je vais vous accompagner aux écuries, riposta Georgia fermement. Il ne faut pas qu'on vous aperçoive. Je vous montrerai le chemin pour rejoindre la route sans passer par le village. Vous allez vers l'ouest ou vers l'est, monsieur ?

— L'ouest, dit-il. Je suppose que j'arriverai bientôt au marais de Romney ?

— C'est exact, répliqua-t-elle froidement.

Le duc ouvrit la porte et il s'apprêtait à franchir le seuil quand un bruit de pas précipités retentit dans le couloir et Nounou haletante, les joues rouges, s'élança vers eux.

— Miss Georgia... Miss Georgia ! s'écria-t-elle. Les voilà ! J'ouvrais la porte pour épousseter le vestibule quand j'ai aperçu le coche qui arrivait dans l'avenue ! C'est le même que d'habitude avec tous ces maudits domestiques, mais Madame ne doit pas être loin derrière.

— Dans l'avenue ?... Alors nous n'avons plus le temps... commença Georgia d'un air affolé.

— Oh, non ! coupa Nounou. Il ne faut pas qu'ils le trouvent ici. Vous savez comme ces domestiques sont bavards. On ne peut pas se fier à eux.

— C'est vrai, dit Georgia. Que faire ?

— Cachez-le jusqu'à ce que la nuit tombe. Vous aurez alors une chance de le faire sortir.

— Oui, oui, bien sûr. — Elle hésita, puis ajouta comme à regret : — Alors... alors, il faut le mettre dans la cachette du prêtre. Il n'y a pas d'autre endroit.

Elle tendit la main vers le duc.

— Venez vite, il n'y a pas de temps à perdre.

— Que se passe-t-il donc ? demanda le duc interloqué. Qui arrive ?

Ses questions restèrent sans réponse et le duc se trouva entraîné par la main dans le couloir. Une porte était ouverte ; elle donnait accès à un vaste vestibule carré. Il y avait un escalier de chêne aux pilastres admirablement sculptés qui reliait le vestibule lambrissé aux étages supérieurs en décrivant une courbe et, en face, une énorme cheminée. Georgia lui avait lâché la main et tâtait le lambris près de cette cheminée.

Silencieusement, sans même un déclic, une partie du lambris pivota sur elle-même, démasquant une ouverture. Georgia se tourna vers lui.

— La cachette du prêtre, expliqua-t-elle. A part Nounou et moi, personne ne la connaît.

— Mais je ne comprends pas ! objecta le duc. Pourquoi me cacherais-je ? Pourquoi ne pas dire que je suis un voyageur qui est venu demander son chemin ?

— Aucun voyageur ne passe jamais par ici, répliqua Georgia. Les domestiques de ma belle-mère se douteraient immédiatement de quelque chose. Ce sont d'infects personnages prétentieux qui s'occupent toujours de ce qui ne les regarde pas. Ils ne resteront qu'un jour ou deux.

— Je n'ai pas l'intention de rester un jour ou deux dans une cachette, protesta le duc.

— Non, bien sûr, je vous ferai sortir dès que ce sera possible. Peut-être à minuit. Cela dépend de l'heure à laquelle les invités cesseront de jouer.

— Mais c'est absurde... commença le duc, aussitôt interrompu par la nourrice qui s'était hissée sur une chaise pour regarder par une des fenêtres.

— Ils ont traversé le pont sur le lac, s'écria-t-elle. Ils vont être là d'un instant à l'autre... Vite, Miss Georgia, vite !

— Oh, je vous en prie, faites ce que je vous dis, supplia Georgia. — Et le duc, quoi qu'il en eût, baissa machinalement la tête pour pénétrer dans la cachette. Il entendit le panneau se refermer derrière lui. Il entendit aussi Georgia déclarer :

— Je monte. Quand ils arriveront, dis que je ne suis pas encore réveillée. Si toutefois ils s'inquiètent de moi, ce qui est peu probable.

— Je ne comprends pas pourquoi ils arrivent si tôt, répliqua Nounou d'une voix soucieuse.

Le duc perçut le bruit de ses pas qui s'éloignaient de la porte d'entrée et s'engageaient dans le couloir conduisant à la cuisine. Il étendit la main pour inspecter à tâtons l'endroit où il se trouvait. Il ne voyait rien du tout mais, peu à peu, il s'aperçut qu'une faible lueur émanait d'un côté et il devina qu'elle provenait d'un trou d'aération dissimulé dans la cheminée. Ses yeux s'étant habitués graduellement à la pénombre, il remarqua un escalier très étroit qui montait devant lui. Il était juste assez large pour laisser passer un homme et, se déplaçant avec précaution, le duc se mit à le gravir.

Pendant son ascension, il entendit au-dessous de lui la cloche de la porte d'entrée carillonner à toute volée, comme si elle était tirée par une main impérieuse. Il se dit avec un petit sourire que Nounou prendrait son temps pour aller ouvrir. Elle ne devait pas se presser pour des domestiques qu'elle n'aimait pas quand elle pouvait faire autrement.

Il montait, montait toujours. Au premier étage se trouvait un petit palier et il se rendit compte qu'il y avait là une porte. Une autre issue, pensa-t-il. Sans perdre de temps à vérifier si elle pouvait s'ouvrir de l'intérieur, il continua à grimper. Encore un étroit palier, puis un autre ; finalement, il aboutit à une porte en haut des marches.

48

Il l'ouvrit et constata avec surprise qu'il était parvenu à une minuscule chambre au plafond bas, meublée d'un lit, d'une table, d'une chaise et, chose étonnante, de nombreux livres rangés dans une bibliothèque aménagée dans le mur. Il y avait aussi une fenêtre haute et étroite qui laissait entrer le soleil et par laquelle on apercevait le devant de la maison.

S'en étant approché aussitôt, il avait constaté avec quel art la cachette du prêtre avait été installée : la fenêtre devait être parfaitement dissimulée à l'extérieur par un pilier et les chéneaux du vieux toit, mais une quantité considérable d'air et de soleil pouvait y pénétrer et l'on avait vue non seulement sur la campagne mais aussi sur la cour.

Dans cette cour, le duc aperçut un grand coche de voyage bourré de bagages. Les domestiques qui s'affairaient à le décharger portaient une livrée vert foncé ornée de galons et de boutons d'argent. Il y avait au moins une douzaine de laquais, ce qui le stupéfia. Pendant qu'il regardait, il vit approcher une autre voiture et devina que celle-ci amenait les femmes de chambre. La belle-mère de Georgia, quelle que fût cette personne, voyageait décidément de façon princière. Il se demanda de quel entourage serait accompagnée Sa Seigneurie quand elle apparaîtrait.

Mais si elle avait tant de domestiques à Londres, ou ailleurs, pourquoi n'y avait-il que la vieille Nounou et Georgia pour s'occuper de cette maison-ci ? C'était une question dont la réponse lui échappait.

Quand il en eut assez d'observer par la mince fente de l'étroite fenêtre, il s'assit sur le lit et se mit à rire. Jamais dans ses rêves les plus saugrenus il n'avait imaginé qu'il se trouverait dans une situation aussi délicate ou participerait à une aventure pareille. Et tout cela parce qu'une donzelle dévorée d'ambition s'était glissée dans son lit avec l'espoir de le forcer à l'épouser.

« Au diable toutes les femmes ! » s'exclama le duc en songeant que c'était encore à une femme qu'il devait sa présente situation.

Du moins Georgia était-elle mariée, pensa-t-il avec soulagement. Ses relations avec elle ne seraient pas encore compliquées par des difficultés supplémentaires. Un vrai garçon manqué. Et pourtant, habillée en femme, il lui trouvait un air frêle et quasi pathétique. « Quelle idée ridicule ! » se dit-il.

En tout cas, cette escapade serait un souvenir qui le ferait bien rire quand il y repenserait plus tard. Pour le moment, il devait se contenter d'espérer que Georgia ou la Nounou se rappelleraient que des œufs au jambon ne constituent pas un petit déjeuner très réconfortant pour un homme affamé. Toutefois, puisqu'il n'avait rien d'autre à faire, autant rattraper son arriéré de sommeil.

Il ôta sa veste, remarqua qu'elle avait été éraillée et tachée aux épaules par les barils et songea que Pereguine exigerait certainement d'en commander une neuve chez Weston. Il dénoua sa cravate et la jeta sur une chaise. Il avait eu l'intention d'enlever ses bottes mais, sans valet pour l'aider, c'était une tâche trop pénible ; il s'installa confortablement sur le lit, cala l'oreiller sous sa tête et sombra presque aussitôt dans un profond sommeil sans rêves.

Il fut réveillé par le léger bruit de la porte qui s'ouvrait. Pendant un instant, il se demanda où il était, puis tout lui revint en mémoire quand il vit Georgia entrer, chargée d'un panier.

— J'ai dû venir moi-même, déclara-t-elle comme si elle s'en excusait. Nounou dit que monter l'escalier lui donne des crises d'asthme. D'ailleurs, elle est dans la cuisine en train de se disputer avec le chef et de maudire les marmitons parce qu'ils salissent son carreau lavé de frais. Nounou déteste les domestiques de Londres plus encore que les soldats de Napoléon. Elle les considère comme une armée d'envahisseurs.

Le duc devina que Georgia parlait pour masquer son embarras. Se redressant sur son séant, il tendit la main pour prendre sa cravate.

— Excusez-moi si je suis un peu ébouriffé. J'étais fatigué, alors j'ai dormi. Avez-vous une idée de l'heure ?

— Oui, bien sûr, il est deux heures passées. J'aurais dû vous apporter à déjeuner avant, mais Nounou préparait un pâté de pigeon pour vous.

— C'est très aimable de sa part, dit le duc. Je crois que j'ai assez faim pour en manger toute une volière.

Georgia posa le panier sur la chaise et en sortit un pâté, une miche de pain toute fraîche, du beurre, des tranches de jambon froid et une petite corbeille de fraises.

— Je viens de les ramasser dans le jardin, reprit-elle. Je ne pouvais pas en charger le jardinier, il s'est enfermé à clef dans la serre. Il déteste ma belle-mère.

Le duc avait noué sa cravate. Il s'apprêtait à enfiler sa veste, mais Georgia l'arrêta.

— Mangez comme vous êtes, dit-elle. Charles reste toujours en manches de chemise.

— Charles est votre mari ? questionna le duc.

— Non, c'est mon frère. Il est sous les ordres de l'amiral Collingwood.

— Vous espérez qu'il viendra bientôt en permission, je pense, dit le duc pour alimenter la conversation. — Il avait parlé d'un ton léger, machinalement, et il fut surpris de voir le visage de Georgia s'altérer et son regard s'assombrir.

— Non, dit-elle, il ne viendra pas.

Comme si elle craignait que le duc pose d'autres questions, elle ajouta :

— Peut-être ai-je été ridicule de vous cacher ici. Mais vous ne pouvez pas savoir comme c'est difficile. Les domestiques auraient signalé à ma belle-mère qu'il y avait un homme ici à leur arrivée. Elle m'aurait questionnée et j'aurais peut-être fini par dire que vous aviez participé au transport des marchandises, ce qui l'aurait mise hors d'elle.

— Votre belle-mère est donc au courant de vos expéditions ? demanda le duc en coupant le pâté d'où s'éleva aussitôt un délicieux arôme.

— Oui, elle est au courant.

Le duc était installé sur l'unique chaise et Georgia s'était assise au bord de l'étroite couchette. Elle avait l'air lasse et fatiguée, ses cheveux tombaient en désordre autour de son visage décoloré. Le duc eut pitié d'elle.

— Votre nourrice est une cuisinière remarquable, dit-il pour changer de sujet.

— Elle a prétendu qu'elle avait promis un pâté à des gens du village qui sont malades, expliqua Georgia. Sans quoi on aurait trouvé bizarre qu'elle prépare un pâté de cette taille juste pour elle et moi.

Elle se tut un instant, puis reprit comme pour elle-même :

— Mentir, mentir, toujours mentir ! La vie ne semble faite que de mensonges.

Le duc se servit une nouvelle tranche de pâté sans rien dire. Au bout d'un moment, regrettant peut-être son mouvement d'humeur, un peu intimidée aussi, Georgia risqua :

— Je vous ai apporté également du cognac. Nounou était sûre que c'est ce que vous préféreriez.

— Je ne suis certes pas disposé à contredire cette hypothèse, répliqua le duc avec un sourire.

Le cognac était dans un carafon et le duc en versa dans un verre que Georgia avait sorti du panier. L'ayant goûté, il reconnut que c'était le meilleur cognac de France, bien supérieur en qualité à ce qu'il avait bu depuis longtemps.

— Je ne sais pas qui est votre fournisseur, mais

c'est certainement un parfait connaisseur en matière de cognac.

— Ne vous moquez pas, dit Georgia. Vous savez aussi bien que moi d'où vient ce cognac. Comme il est plus cher que d'habitude, j'ai supposé qu'il était de meilleure qualité que celui que nous rapportons en général.

— Vous devez avoir une santé de fer, reprit le duc. Je me doute bien que vous ne maniez pas les rames, mais traverser la Manche deux fois en douze heures doit être exténuant.

— Parfois, oui, répondit Georgia, mais je fais très attention à ne prendre la mer que lorsqu'elle est calme. Nos hommes n'ont pas le pied marin et ils sont malades à la moindre ride sur l'eau.

— Vous ne voudriez pas m'expliquer... demanda le duc.

Il s'aperçut aussitôt que c'était la chose à ne pas dire.

Georgia se dressa d'un bond.

— Non, non, s'écria-t-elle avec violence. Et je ne comprends pas pourquoi je vous ai parlé comme ça. Sans doute parce que je n'ai personne ici avec qui en discuter. Si j'essaie d'en parler à Nounou, elle se fâche ; elle a horreur de penser à ce qu'il faut faire et, quand je suis partie, je suis persuadée qu'elle souffre.

— Je n'en doute pas, acquiesça le duc. Quiconque a de l'affection pour vous doit ressentir la même chose, voilà pourquoi je ne comprends pas que votre mari...

— Je vous ai déjà dit que mon mari n'est au courant de rien.

— Alors, votre belle-mère, pourquoi vous laisse-t-elle faire ?

— Je n'ai rien à ajouter, répliqua Georgia. Permettez-moi de parler franchement, Mr. Raven. Plus vite vous partirez d'ici, mieux ça vaudra. Peut-être n'aurais-je pas dû vous cacher, mais il faut que vous vous en alliez ce soir dès que la voie sera libre. Vous comprenez ?

— Je suis à vos ordres. Voulez-vous remercier Nounou pour le pâté et lui dire que j'ai apprécié aussi le cognac en dépit de son origine ?

Le duc avait voulu piquer au vif son hôtesse. Il y avait réussi. Georgia inclina la tête et disparut sans ajouter un mot. Il l'entendit descendre lentement les marches et rit sous cape en se versant un autre verre de cognac. Elle avait du caractère, cette jeune femme, c'était indéniable. Il n'enviait pas à son mari la tâche d'essayer de la régenter lorsqu'il reviendrait de la mer. Il serait manifestement obligé de faire acte d'autorité s'il voulait être maître chez lui.

Un bruit qui montait attira le duc à la fenêtre. C'était celui d'une puissante trompe qui sonnait avec insistance. Il vit un magnifique équipage tiré par six chevaux appareillés à la perfection. Leurs harnais d'argent scintillaient au soleil et les couleurs de ses lambris blasonnés étincelaient quand la voiture décrivit un cercle pour venir s'arrêter devant la maison. Elle était escortée de quatre jockeys portant la même livrée verte que les serviteurs arrivés en premier lieu.

Le duc tendit le cou pour voir descendre le possesseur d'une cavalcade aussi spectaculaire, mais, malheureusement, la vue lui fut bouchée. Il n'aperçut que les chevaux qui encensaient, l'écume qui maculait leurs brides et les deux cochers avec leur haut chapeau de castor et leur redingote à collets, assis bien droit sur le siège.

Puis dans l'avenue arrivèrent deux autres carrosses et un phaéton conduit par un gentilhomme qui, le chapeau sur l'oreille, tenait les rênes avec l'aisance et l'assurance d'un sportsman. Le duc éprouva un sentiment qui ressemblait à de l'envie. Il y aurait sûrement une réception en bas, mais il ne pourrait pas y assister.

Le duc n'aurait pas été humain s'il n'avait pas été dévoré de curiosité. Il aurait voulu savoir qui étaient ces gens ; il s'avisa avec dépit qu'il n'avait pas demandé à Georgia le nom de sa belle-mère.

« Je la connais peut-être », se dit-il. Je me demande ce qui se passerait si je me mêlais aux invités. Mais trahir Georgia de la sorte était impensable. Non, il devait s'enfuir à pas de loup dans la nuit comme elle l'en avait prié et oublier cette série fantastique d'incidents étranges.

« Flûte ! » songea-t-il en s'asseyant de nouveau sur le lit. « Cela me tracassera jusqu'au jour de ma mort si je n'arrive pas à découvrir le fin mot de cette histoire. »

CHAPITRE III

LE DUC TROUVA LE TEMPS LONG, CET
après-midi-là. Il regarda par l'étroite fenêtre le
soleil sur le lac, les feuillages oscillant doucement dans la brise et les canards sauvages qui décri-
vaient des cercles très haut dans le ciel. Il avait
follement envie d'agir, il voulait faire quelque chose
de positif sans savoir exactement quoi. C'était éner-
vant d'attendre seul dans cette pièce minuscule,
d'ignorer ce qui se passait dans le reste de la maison
qui, il le pensait bien, devait bouillonner d'activité.

Il jeta un coup d'œil aux livres de la bibliothèque. La plupart traitaient de sujets religieux et,
supputa le duc, devaient être là depuis des années
sinon des siècles. En poursuivant son investigation, il
remarqua un placard aménagé dans le mur et découvrit en l'ouvrant une collection d'objets disparates.
Une cuvette d'étain, un verre à boire colorié, un
briquet à silex, du matériel de couture (l'aiguille

rouillée faute d'usage) et, tout au fond, une poupée de chiffon qui avait connu des jours meilleurs.

Le duc sourit. Il avait déjà deviné que Georgia se servait de cette pièce comme cachette. Il avait remarqué que les couvertures du lit étaient impeccables, que les draps et les taies en toile fine sentaient la lavande. Le napperon brodé à jours qui recouvrait la petite table de chêne n'y était sûrement pas depuis longtemps et il y avait étonnamment peu de poussière sur le sol et les rayons de la bibliothèque.

« Peut-être, songea-t-il, d'autres personnes avaient-elles été dissimulées là par Georgia » ; puis il se souvint de son agitation, se rappela que l'idée de la cachette du prêtre ne lui était venue qu'au dernier moment. Il eut l'intuition qu'il était le premier étranger à utiliser cette retraite secrète.

Pourquoi avait-elle à se cacher, et de quoi ? Cette question ne lui laissait pas l'esprit en repos. Il l'imaginait enfant, tapie là aux aguets, tandis que sa nourrice et peut-être ses parents l'appelaient à tous les échos et la cherchaient dans le jardin en se demandant où elle avait bien pu disparaître.

Mais les escapades enfantines pour s'amuser ou échapper aux devoirs et aux leçons n'ont aucune commune mesure avec le fait que la jeune femme se terrait probablement là parce qu'elle avait peur. A moins qu'il ne se monte la tête ? Pourquoi Georgia Baillie, assez courageuse pour risquer la prison au cas où elle serait surprise en train de faire de la contrebande, aurait-elle peur d'autre chose que des

gardes-côtes ? Et pourtant il n'existait aucun doute
là-dessus dans l'esprit du duc : elle avait peur.

Il s'étendit sur le lit qui était plus confortable que
la chaise paillée et s'efforça de trouver un sens
logique à tout ce qu'il avait appris ou observé. Mais
l'après-midi passa lentement et le crépuscule tomba
sans qu'il sortît de sa perplexité.

Il tira sa montre de son gousset. Presque six
heures ! Il se demanda combien d'heures encore il
devrait attendre avant de pouvoir se faufiler sans
risque jusqu'aux écuries, seller son cheval et s'en
aller.

Il perçut soudain un bruit, faible mais distinct,
dans l'escalier. Il se leva vivement. Enfin, quelque
chose se produisait ! Le duc traversa la pièce et
ouvrit la porte. Le bruit lui parvint de nouveau,
mais cette fois plus syncopé, comme celui d'une respiration haletante. Avant de parvenir au détour de
l'escalier, il devina qui il trouverait sur le petit
palier... non pas Georgia, mais la nourrice.

— Voilà, monsieur, dit-elle en lui tendant un
panier, le même que celui dans lequel Georgia lui
avait apporté son déjeuner. Je n'ai pas pu me procurer grand-chose pour vous avec tous ces domestiques
soupçonneux et fouineurs qui ont envahi ma cuisine
et qui me marchandent même une simple tasse de
lait.

Nounou chuchotait et le duc lui répondit de
même :

— Montez jusqu'à la chambre. Je voudrais vous
parler.

— Je n'ose pas, monsieur. On pourrait avoir besoin de moi. C'est déjà assez dangereux comme ça d'être venue vous rendre visite.

— Je comprends, dit le duc. Je vous remercie vivement pour les provisions.

Il jeta un coup d'œil au panier, mais l'obscurité était trop grande pour qu'il en distingue le contenu.

— Il y a juste un peu de lard fumé et un petit morceau de fromage, expliqua Nounou, j'en suis navrée, monsieur, croyez-moi. Je sais bien ce qui convient pour un gentilhomme. Je n'ai pas été en service toute ma vie sans l'avoir appris.

— Ce gentilhomme-là n'est pas difficile, répliqua le duc avec une note de gaieté dans la voix.

— Je vous ai fait chauffer de l'eau, poursuivit Nounou. Je ne pouvais pas la monter par cette espèce d'échelle de meunier, alors je l'ai glissée par le panneau secret pendant que le valet mettait le couvert pour le dîner. Vous la trouverez au pied de l'escalier.

— Je vous en suis fort obligé, répondit le duc. J'ai aussi grand besoin de me raser.

— J'y ai pensé également, monsieur. Vous avez un des rasoirs de Mr. Charles et une cravate propre dans le panier.

— Vous pensez à tout. Miss Georgia — Mrs. Baillie, devrais-je dire — a beaucoup de chance de vous avoir pour s'occuper d'elle.

— Miss Georgia — j'oublie toujours l'autre nom, je ne peux pas m'y faire — est tout ce qui me reste, répondit Nounou. Je l'aime comme ma propre fille, aussi vrai que vous me voyez là.

— Elle a beaucoup de chance, je le répète, dit le duc en souriant.

— Non pas que je puisse faire grand-chose... étant donné les circonstances, reprit Nounou à mi-voix, comme pour elle-même. C'était différent du vivant de Sir Hector.

— Sir Hector... qui ? s'enquit le duc. Je ne connais pas le nom de jeune fille de Mrs. Baillie.

— Sir Hector Grazebrook, expliqua-t-elle. C'était un vrai gentilhomme, droit et juste dans tout ce qu'il faisait... Dieu sait ce qu'il aurait pensé s'il était là au lieu d'être couché sous terre.

Le duc devina plus qu'il ne vit le geste d'impuissance de la vieille femme. Elle reprit d'une voix changée :

— Miss Georgia dit qu'elle viendra vous chercher, monsieur, dès que ce sera possible. Veuillez avoir la bonté de vous tenir prêt aux alentours de minuit.

— Entendu, répliqua-t-il, bien qu'en un sens j'hésite à vous laisser dans une situation aussi compliquée.

— Compliquée est le mot, monsieur, et quoi qu'en dise Miss Georgia je serai navrée de vous voir partir. Il est indéniable que vous êtes de bonne naissance et de bonnes manières, quel que soit le mauvais cas où vous êtes.

— Je n'aurai pas trop de mal à m'en tirer, lui assura le duc.

— Tant mieux, j'en suis bien contente, répliqua Nounou. Je regrette seulement qu'il n'en soit pas de même pour Miss Georgia. Oh, monsieur, si vous saviez comme j'ai peur pour elle !

Le duc perçut de la terreur dans sa voix.

— Nounou, tâchez de la convaincre de ne pas s'exposer avec tant de témérité, dit-il gravement. Ce qu'elle fait n'est pas un travail pour une femme, et moins encore pour une femme qui a reçu une éducation raffinée.

— Croyez-vous donc que je ne le lui ai pas répété cent fois ? s'exclama-t-elle. Mais vous ne comprenez pas, monsieur. Il y a des raisons que je ne peux pas vous dire et qui contraignent Miss Georgia à agir ainsi. Ce que je me demande, c'est comment tout cela finira.

— Oui, comment ? répliqua le duc.

Nounou poussa un soupir qui était presque un gémissement.

— Je prie de tout mon cœur pour que quelque chose, je ne sais quoi, nous sauve.

Le duc allait répondre quand elle posa la main sur son bras pour lui intimer silence. Puis elle se pencha contre la porte secrète par où elle était entrée.

— Il y a quelqu'un par-là, chuchota-t-elle.

Le duc eut beau tendre l'oreille, il n'entendit rien.

La main de Nounou se posa sur le loquet et la porte s'ébranla très lentement. L'ouverture était étroite et basse : elle eut un peu de mal à s'y faufiler.

Le duc aperçut brièvement un long couloir qui devait desservir les chambres des domestiques. Puis elle disparut et la porte se rabattit au nez du jeune homme.

Il attendit d'être sûr qu'elle soit assez éloignée pour ne pas l'entendre, puis il essaya à son tour avec précaution le loquet. Il le manipula un moment avant d'en comprendre le fonctionnement. Il découvrit finalement le mécanisme et le panneau bougea. Ne voulant pas courir de risques en l'ouvrant tout grand, il se contenta de le pousser un peu et de le refermer. Il se sentait soulagé de n'être plus le prisonnier de Mrs. Georgia Baillie. Il pouvait s'en aller quand il le voudrait.

Il ramassa le panier de provisions et le monta dans la chambre où il le mit sur la table. En plus du lard bouilli, il y avait une miche de pain frais, un gros médaillon de beurre doré et un morceau de fromage. Tout au fond se trouvait un bel écrin de cuir contenant des rasoirs.

Le duc crut d'abord que Nounou avait oublié la cravate dont elle avait parlé. Puis il l'aperçut attachée soigneusement autour de l'anse pour qu'elle ne se froisse pas. Il disposa les provisions sur la table, puis décida de descendre chercher la cruche d'eau que Nounou avait laissée à son intention au rez-de-chaussée.

Ses pas sur les marches de chêne risquaient d'être entendus, il le savait ; aussi — et non sans peine — se débarrassa-t-il de ses bottes et il s'engagea en chaussettes dans l'étroit escalier. L'obscurité y était maintenant totale ; il se maudit de n'avoir pas demandé à Nounou une chandelle, sans laquelle le briquet ne lui servait pas à grand-chose. D'ici peu, les derniers reflets du soleil couchant disparaîtraient et avec eux tout espoir de se raser. Il descendait avec prudence l'escalier quand soudain, si près de lui qu'il sursauta, une voix de femme déclara :

— Bah ! Vous ferez ce qu'on vous dit de faire. N'essayez pas de discuter.

— Mais c'est impossible ! Ne comprenez-vous donc pas que c'est précisément parce que nous avons fait la traversée la nuit dernière que nous ne pouvons pas recommencer ?

Le duc reconnut la seconde voix : c'était celle de Georgia.

— Et alors ? Il est de la plus haute importance que vous rameniez un gentilhomme qui vous attendra au même endroit que l'autre fois.

— Je n'aime pas transporter des passagers, reprit Georgia avec un peu d'humeur.

— Peu m'importe ce que vous aimez ou n'aimez pas, Mademoiselle la Difficile, riposta une voix coupante.

Le duc devina que ce devait être la belle-mère de Georgia qui parlait et qui ajouta :

— Ce gentilhomme doit être conduit en Angleterre et qui mieux que vous peut s'en charger ? Vous connaissez si bien la navigation clandestine dans la Manche !

— Croyez-vous que j'en sois fière ? s'écria Georgia avec colère. Vous m'y obligez et, à chaque traversée, vous devenez plus exigeante. La dernière cargaison n'est-elle pas assez belle pour vous ? Le produit de la vente vous durera bien au moins un mois.

Il y avait comme une note pathétique d'optimisme dans la dernière phrase.

— Vous êtes encore plus simplette que je ne le pensais si vous croyez que ces broutilles suffiront à m'entretenir dans le luxe, rétorqua l'autre femme, sarcastique. Allons donc, la vente fournira à peine de quoi payer les chandelles pour éclairer ma maison !

— Vous vous moquez, dit Georgia d'un ton accusateur, et pourtant les hommes de ce domaine risquent leur liberté, leur vie, chaque fois qu'ils quittent ces côtes. Vous représentez-vous ce que c'est que d'être pourchassés, de savoir que, quelque part dans l'ombre, des fusils sont prêts à tirer ? Il y a des agents du fisc qui patrouillent dans des vedettes rapides et des douaniers qui guettent sur terre.

— Vous devriez vous engager dans un théâtre, ma fille. Vous obtiendriez un franc succès sur les planches de Cheltenham, riposta la voix ironique. Allons, trêve de discussion ! Ce gentilhomme que vous irez chercher demain soir est un personnage important. Il représente une cargaison beaucoup plus précieuse, je vous l'assure, que du cognac ou du thé.

— Voulez-vous dire qu'il vous paiera pour l'avoir amené ? questionna Georgia.

Sa belle-mère éclata de rire.

— Mon Dieu ! Quelle innocence ! Mais bien sûr

que je suis payée ! Vous imaginez-vous que je me donnerais tant de mal si je n'étais pas amplement récompensée ?

— Je ne vois pas quel mal vous vous donnez. C'est moi et l'équipage qui courons les risques. Les hommes m'obéissent uniquement parce qu'ils ont servi mon père.

— Ils obéissent parce qu'ils sont payés pour le faire ! Et s'ils ne font pas ce que je commande, ils mourront de faim comme je vous l'ai clairement signifié une douzaine de fois. Ils mourront de faim et leurs enfants avec eux. Vous pourrez toujours venir mendier de l'argent, je ne leur donnerai pas un liard ! Rien ! Rien !... Vous entendez ?... A moins qu'ils ne continuent à m'apporter de plus en plus de marchandises. Qui pour le moment, j'en conviens, rapportent un très joli denier.

— Je suis heureuse de vous savoir satisfaite, fit Georgia ironiquement. Mais en échange vous payez nos hommes moins que n'importe quel contrebandier sur toute la côte d'Angleterre.

— S'ils sont mécontents, à qui iront-ils se plaindre ? Aux gardes-côtes ? A l'armée ? Ou peut-être voudront-ils envoyer une pétition à Sa Majesté ? Ce serait le comble de l'absurdité. « Nous, les contrebandiers du domaine des Quatre-Vents, suplions Votre Majesté de faire en sorte que nous obtenions une meilleure rémunération pour notre trafic illégal de contrebande ! »

— Oh, assez ! — La voix de Georgia était furieuse. — Vous n'avez que railleries et mépris pour ces hommes, mais c'était naguère des paysans honnêtes et droits. La contrebande a été pour eux, au début, une aventure, un coup de folie risqué parce qu'ils avaient entendu parler des grosses récompenses gagnées par d'autres équipages. Oui, ils se livraient à la contrebande, mais cela ne se produisait qu'une ou deux fois par an au maximum, jusqu'au jour où vous en avez eu vent.

— Et vous rappelez-vous comment j'en ai eu connaissance ? questionna insidieusement la voix acide. Vous rappelez-vous qui m'a raconté ce qui s'était passé ? Vous rappelez-vous ?

Il y eut un silence, puis Georgia reprit d'une voix basse, vaincue :

— Je vais prévenir les hommes que nous ferons la traversée demain soir. Quel est le nom de ce gentil-homme que nous devons ramener ?

— Ah, voilà qui est mieux, beaucoup mieux ! Je pensais bien que vous seriez raisonnable. Somme toute, un mot de moi en haut lieu pourrait causer tant de catastrophes, n'est-ce pas ? Rien qu'une suggestion, un soupçon...

— Vous tairez-vous ? s'écria Georgia presque hors d'elle. J'ai dit que j'irais. Je vais en informer tout de suite les hommes parce que si j'attends le matin certains iront peut-être au marché et ne seraient pas de retour à temps. Vous ne m'avez toujours pas dit le nom de la personne qui nous attendra.

— Cela ne vous regarde pas.

— Est-ce un Français ?

— Naturellement. Vous parlez le français très

convenablement si j'ai bonne mémoire. Vous serez donc en mesure de vous entretenir avec lui, au moins assez pour les formalités usuelles de politesse.

— Pourquoi vient-il dans notre pays ? questionna Georgia. J'ai eu des scrupules quand nous avons ramené l'autre. Je fais peut-être de la contrebande, mais je ne veux pas trahir ma patrie. Qu'est-ce qui me garantit que ce n'est pas un espion ?

— Vous n'avez aucune garantie de rien, espèce de poule mouillée, répliqua sa belle-mère, et moins vous en savez mieux cela vaut. Votre irritante honnêteté donnerait de drôles de résultats devant un tribunal. Allez chercher ce gentilhomme, traitez-le avec considération et, dès qu'il aura mis le pied sur cette côte, oubliez son existence... exactement comme l'autre fois.

— Je n'aime pas cela. Je vous ai déjà dit que ce voyage ne me plaisait pas, murmura Georgia.

— Et moi je vous ai ordonné d'obéir sans discuter.

Il y eut un brusque silence. Le duc imagina les deux femmes face à face, s'affrontant du regard. Puis la plus âgée reprit d'un ton différent :

— Vous pourriez avoir du charme, savez-vous, si vous vous donniez la peine de vous mettre en valeur. Lord Ravenscroft est ici ce soir. Il vous avait trouvée à son goût l'année dernière, vous vous souvenez ? Il aime les femmes jeunes, fraîches et naïves. Enfilez une de mes robes et descendez lui tenir compagnie.

Ce serait avantageux pour vous, et pour moi aussi par la même occasion.

— Vous oubliez, objecta Georgia, que je suis mariée maintenant. J'étais encore une jeune fille quand vous avez voulu me faire parader devant ces vieillards vicieux et dépravés qui me dégoûtent. Je ne présente plus d'intérêt pour eux. Vous le dites vous-même, Lord Ravenscroft aime les femmes jeunes, intactes et innocentes. Je suis désormais Mrs. Baillie avec une alliance au doigt. Je ne suis plus intéressante.

Il y eut un éclat de rire.

— Quelle niaise vous êtes si vous vous imaginez qu'un anneau d'or fait une telle différence ! En réalité, cela facilite les choses : les hommes redoutent toujours de fréquenter des jeunes filles par peur d'être contraints au mariage. Descendez donc, Georgia. Vous verrez que les pêches mûres plaisent davantage que les pêches vertes.

— Vous me choquez, vous m'écœurez. — Georgia parlait avec lenteur et fermeté : — J'ai pleuré le jour où mon père vous a épousée et je n'ai cessé de pleurer depuis en songeant que vous preniez la place de ma mère. Elle était bonne et pure, mais chaque fois que je vous vois dans cette maison j'ai honte, car vous n'êtes qu'une... qu'une catin !

Une exclamation de rage et le bruit sec d'une paume qui s'abat sur la chair tendre d'une joue.

— Comment osez-vous me parler de cette façon ! Sortez, petite sotte, avant que je prenne ma cravache ! Exécutez mes instructions, sinon vous savez qui finira au bout d'une potence.

Une porte claqua avant même que les derniers mots fussent prononcés ; le duc comprit que Georgia avait quitté la pièce. Avec un peu de remords, il s'avisa qu'il s'était rendu coupable d'indiscrétion mais il avait été trop fasciné par ce qu'il entendait pour bouger.

Il se remit à descendre les dernières marches le plus doucement possible. Dans l'ombre, il se cogna le pied contre une cruche de cuivre remplie d'eau en bas de l'escalier. Quelque chose qui avait été posé dessus tomba par terre avec fracas ; le bruit le fit retenir son souffle. En cherchant à tâtons, il découvrit un pain de savon et deux chandelles qui avaient été enveloppés dans la serviette de toilette.

Le duc hésita un instant, posa sur la dernière marche ce qu'il venait de ramasser et palpa le mur pour trouver la porte par laquelle on l'avait fait pénétrer dans la cachette. Il mit un certain temps à découvrir la fermeture. Il constata qu'elle était du même type que celle de l'étage supérieur. Il y avait probablement aussi une autre porte par laquelle il pouvait entrer dans la chambre qu'occupait la belle-mère de Georgia.

Ses lèvres se retroussèrent en un sourire ironique à cette pensée. Rassemblant les objets apportés par Nounou, il les monta dans la chambre. Il ferma la porte, alluma les chandelles, sortit la cuvette du placard et se mit en devoir de se laver et de se raser. L'eau de la cruche s'était refroidie, mais il réussit à se rendre à peu près présentable. La cravate, démodée pour qui préférait les jabots, était blanche et repassée de frais ; quand le duc l'eut nouée devant un petit miroir au cadre doré qui était suspendu sur l'un des murs, il avait pratiquement retrouvé son air impeccable habituel.

Il s'assit à la table pour manger la collation froide que Nounou lui avait préparée comme dîner, mais l'idée de ce que Georgia serait obligée de faire le lendemain soir lui avait coupé l'appétit.

Que les Anglais fournissent de l'or à Napoléon Bonaparte était déjà assez fâcheux. A plus d'une reprise, l'empereur s'était vanté que les guinées qui traversaient la Manche l'aidaient à vêtir et nourrir son armée. Mais introduire des espions en Angleterre était une tout autre histoire.

Il y avait déjà des espions dans le pays, personne ne songeait à le nier. La plupart étaient des immigrants français qui avaient échappé à la guillotine au moment de la Révolution. Ils restaient fidèles à leur patrie en dépit des changements politiques, et ils ne se sentaient redevables de rien envers l'Angleterre qui leur avait donné asile. Mais l'introduction en fraude de nouveaux espions était plus inquiétante.

La belle-mère de Georgia était payée pour faire passer cet homme de l'autre côté de la Manche : il avait par conséquent de l'importance, au moins pour ceux qui l'envoyaient. Le seul fait qu'ils étaient prêts à payer grassement démontrait que c'était un homme dangereux pour l'Angleterre.

Posant fourchette et couteau, le duc se mit à tambouriner sur la table comme il le faisait souvent quand il réfléchissait. Il se trouvait devant un dilemme vraiment extraordinaire. En tant qu'officier de Sa Majesté et membre de la Chambre des Lords, son devoir était évidemment de faire en sorte que ce Français et tous ceux qui avaient facilité son entrée dans le pays soient immédiatement arrêtés. D'autre part, vis-à-vis de lui-même, comment justifier une dénonciation entraînant l'incarcération ou la déportation d'une jeune femme qui, à sa façon, l'avait traité avec hospitalité ?

Il méditait toujours sur la conduite à tenir et son repas était resté inachevé plusieurs heures plus tard. La seule solution, conclut-il, était d'essayer de convaincre Georgia qu'elle ne devait en aucun cas obéir à sa belle-mère. Pourtant, il avait le pressentiment désagréable que ce serait impossible. Quelle que fût la menace que cette femme tenait suspendue sur la tête de Georgia, c'était quelque chose de dirimant. Au moins, songea-t-il, essayons de savoir de quoi il s'agit.

En un sens, le duc ressentait une espèce de soulagement à l'idée que Georgia n'était pas, comme il l'avait imaginé d'abord, une maîtresse femme au cuir endurci qui faisait de la contrebande par avidité personnelle ou par amour de l'aventure. Il avait l'impression de commencer à comprendre la situation, mais il lui manquait encore trop d'éléments pour arriver à reconstituer ce puzzle.

Le duc trouvait le temps long. Il mangea encore quelques bouchées de fromage et finit de boire le cognac apporté par Georgia au déjeuner. Cette dernière ne viendrait vraisemblablement pas avant plusieurs heures ; il résolut donc d'aller voir dans l'escalier s'il ne pourrait pas surprendre quelque chose.

En passant sur le palier du haut, il résista à la tentation d'ouvrir la porte et descendit un étage. Aucun bruit ne provenait maintenant de la chambre mais, au moment où il s'apprêtait à poursuivre son chemin, il entendit un brouhaha de conversations dans une direction différente. L'escalier tournait à cet endroit et le duc mit un certain temps à discerner une faible lueur qui perçait à travers une des marches. Il s'assit et approcha son œil.

Tout d'abord, il ne vit rien. Il épousseta la marche et quelque chose bougea sous sa main. Une seconde plus tard, il avait poussé de côté un petit volet qui n'avait pas plus de cinq centimètres de côté et il plongeait le regard dans ce qui était manifestement le salon principal de la maison. Un judas avait été aménagé dans la corniche.

Au-dessous de lui, les invités étaient assis sur des canapés recouverts de damas ou groupés autour du tapis vert de deux tables de jeu. D'après le vacarme, le ton aigu des voix de femmes, la diction empâtée des hommes, le duc devina qu'ils avaient beaucoup bu et mangé. Les valets de pied offraient encore du cognac aux messieurs dans des verres de cristal ; la plupart des dames tenaient un verre à la main. Elles étaient d'une élégance tapageuse ; couvertes de bijoux étincelants, elles portaient des robes à taille

haute, au décolleté vertigineux et à la jupe outra-
geusement transparente.

Le duc cherchait s'il y avait là un visage connu
lorsqu'une femme qu'il voyait de dos se pencha vers
un homme assis à la table de jeu, déposa un baiser
léger sur son front et se retourna pour appeler un
valet. Le duc retint l'exclamation qui lui montait
aux lèvres.

« Caroline Standish ! » songea-t-il. « Par ma foi,
c'est bien la dernière personne que je m'attendais à
trouver ici ! »

Indubitablement, la femme en question était
remarquable. Sa robe « Directoire », coupée selon la
mode lancée à la cour de Napoléon et qui avait
gagné ce côté-ci de la Manche, était en dentelle
d'argent rebrodée de rubis. Des rubans du même
rouge — très probablement tissés à Lyon — mode-
laient sa poitrine et tombaient en cascade sur la
tunique presque transparente jusqu'à ses souliers de
satin. Autour de son cou, un collier de rubis rouge
sang scintillait à la lueur des bougies ; le duc se
rembrunit au souvenir de la somme qu'il avait payée
pour ce collier.

Il entendait encore la voix de Caroline lui chuchoter à l'oreille : « Donne-le-moi, Trydon mon amour.
Si tu me l'achètes, je te revaudrai cela de mille
façons qui t'enchanteront, crois-moi. »

Ses bras étaient doux autour du cou de Trydon,
ses lèvres proches des siennes, son parfum exotique
avait enivré le jeune homme.

A l'époque, il n'était qu'un nigaud sans expérience et Caroline était certes digne des toasts que lui portaient tous les soirs les jeunes élégants de St. James. Il avait tiré orgueil du fait qu'elle avait préféré sa protection à celle d'autres soupirants plus fortunés.

L'interlude avait été bref mais passionné avant que son régiment soit envoyé au Portugal. Même dans les moments les plus ardents de leur liaison, il avait su que Caroline ne lui était pas fidèle, pourtant il avait été assez sot pour s'amouracher d'une femme qui était non seulement de dix ans son aînée mais encore une amoureuse expérimentée et rompue aux roueries de la plus vieille profession du monde.

Le navire qui devait transporter le régiment ayant été retenu à Southampton par le mauvais temps, Trydon n'était rentré en poste à Londres que pour trouver Caroline en train de se consoler de son départ dans les bras d'un homme qui lui avait toujours déplu, Lord Ravenscroft.

Il y avait eu une scène bruyante, vulgaire, désagréable quand Ravenscroft lui avait ordonné de quitter la maison de Caroline ; il avait riposté sans ambages qu'étant donné les sommes par lui dépensées il estimait avoir plus que Sa Seigneurie le droit d'être là. Caroline s'était alors montrée sous son vrai jour. Elle aussi lui avait enjoint de partir et le duc ne s'était rendu compte que trop clairement qu'elle souhaitait être débarrassée de lui parce qu'elle avait peur de perdre un nouveau protecteur plus riche et plus influent.

Il se remémorait encore douloureusement sa voix

acide, la précipitation avec laquelle elle l'avait saisi par le bras, ses chuchotements en aparté, son impatience et finalement ses cinglantes injures en lui montrant la porte.

Il avait éprouvé une telle répulsion à son égard et à celui de Ravenscroft qu'une fois dehors il avait vomi sur le pavé. C'est seulement sa formation militaire qui l'avait retenu de rentrer provoquer en duel Ravenscroft beaucoup plus âgé que lui, qui l'avait empêché de casser les vitres de la maison et de proclamer au monde entier sa propre stupidité de s'être laissé duper par une femme si complètement et totalement dépourvue de cœur.

« Les jeunes gens sont bien vulnérables ! » songeait à présent le duc. Pourtant, tout en se demandant comment il avait pu se leurrer sur le compte de Caroline, il savait qu'il porterait à jamais les cicatrices des blessures qu'elle lui avait infligées.

Accroupi sur les marches, penché sur le judas pratiqué au temps d'Elizabeth Ire à l'intention de quelque prêtre jésuite craignant pour sa vie, le duc examina d'un regard calme et froid la femme qui lui avait naguère inspiré une passion ardente et naïve.

Caroline était encore belle, c'était incontestable, mais sa vie de débauche l'avait marquée. Des rides profondes se creusaient au coin de ses lèvres ; ses blanches mains indolentes ressemblaient plus que jamais à des serres. Mais elle savait toujours se montrer gaie et amusante. Les hommes qui l'écoutaient en cet instant riaient tous. Elle éclipsait les autres femmes de l'assistance.

Le duc n'en reconnut aucune, ce qui n'avait rien d'étonnant, pensa-t-il, car toute Lady Grazebrook que fût devenue Caroline, la haute société et à coup sûr aucun des gens de *bon ton* (1) n'auraient voulu la fréquenter. Cela n'empêchait pas certaines personnes d'accepter son hospitalité, naturellement : celles qui se rangent dans la catégorie des grues de haute volée, au-dessus des filles de joie et des femmes entretenues, qui fréquentent les cercles mondains sans en être, des demi-mondaines en somme.

Pour les hommes, c'était différent. Le duc les passa en revue et s'aperçut, comme il s'y attendait, que c'étaient les joueurs, les gommeux, la racaille des clubs de St. James. Il y avait aussi plusieurs hommes d'âge comme Ravenscroft qui savaient que Caroline leur procurerait le genre de jeune caillette qu'il leur fallait. Le goût pour les vierges qu'avait Ravenscroft était bien connu et lui avait valu dans tout Londres une réputation épouvantable.

Les guinées s'empilaient sur les tapis verts. Les hôtes de Caroline se regroupaient par couples. Un homme et une femme sortirent par la porte-fenêtre qui était ouverte et s'en allèrent sur la pelouse. Une autre femme fit signe à un homme de venir la rejoindre dans une alcôve peu éclairée à l'autre bout du salon.

Le duc bâilla. Il ne savait que trop comment finis-

(1) En français dans le texte

saient ces réceptions-là. La plupart des hommes seraient tellement pris de boisson qu'il faudrait les aider à se coucher ; de grosses sommes d'argent auraient changé de mains et les plus pauvres de l'assistance seraient plumés. Quand tous sont trop ivres pour s'en apercevoir, inévitablement il y a de la tricherie.

Et Caroline... quel gain en retirait Caroline ? se demanda le duc. Elle ne continuait certainement pas à s'intéresser à Ravenscroft, sans quoi elle n'aurait pas demandé à Georgia de descendre le distraire. Il devait y avoir quelqu'un d'autre.

Son regard parcourut la compagnie. Un homme vêtu d'un discret habit gris avec une culotte de satin de même couleur se tenait à l'écart près de la cheminée. Il avait un mince visage ridé, sardonique, et il observait Caroline avec une expression que le duc jugea mi-admirative mi-narquoise.

Elle s'élança soudain vers lui, les mains tendues, la tête rejetée en arrière, les yeux levés vers les siens.

Un silence s'établit dans la pièce comme les joueurs attendaient qu'une carte soit retournée et le duc entendit nettement l'homme en gris dire :

— Est-ce arrangé ?

— Naturellement, répondit Caroline. Pour demain soir.

L'homme leva la main et tapota la joue de Caroline avec de longs doigts maigres, osseux. Elle tourna son visage pour y poser un baiser.

Le duc referma très doucement le petit volet du

judas. Ce qu'il avait vu lui suffisait pour se sentir écœuré. Que lui importait ce que faisait Caroline dans cette maison ou ailleurs ? Mais une autre question le tarabustait :

« Qui est l'homme en gris ? »

CHAPITRE IV

L A PETITE CELLULE EN HAUT DE L'ES-
calier secret lui fit l'effet d'un sanctuaire. Le
duc ferma la porte et se jeta sur le lit pour
réfléchir. La lueur vacillante des chandelles sur la
table projetait des ombres étranges sur le plafond
bas.

Revivant en esprit le passé, il s'efforça de se rappeler des scènes survenues si loin dans le temps, lui
semblait-il, qu'il pensait les avoir oubliées. Il se
vit à une réception — qui la donnait, où était-ce ? il
ne parvint pas à s'en souvenir. Mais il bavardait
avec d'autres invités et l'un demanda :

— Vous connaissez la dernière de Caroline Standish ?

— Non, avait-il répliqué. Qu'a-t-elle fait ?

— Elle a dépassé les bornes. Vous étiez absent de
la ville, Trydon, sans quoi vous sauriez que les autorités ont eu vent du duel qui s'est déroulé chez elle
la semaine dernière. Le jeune Lancastre a été tué et
le bruit court que la belle Caroline avait pris des

paris sur le vainqueur. Le fait a été rapporté au prince et il est furieux.

— Et qu'arrivera-t-il à cette sotte courtisane qui permet dans sa maison des divertissements pareils ? questionna une voix de femme.

Lady Valerie Voxon venait de s'approcher de leur cercle et le duc avait sursauté. Elle était ravissante, comme toujours d'ailleurs, et il avait à peine écouté la suite de la conversation, dont pourtant des fragments lui revenaient maintenant.

— Ce sont des sujets qui ne conviennent guère aux oreilles délicates de Votre Seigneurie, avait répliqué un vieux lord, pair d'Angleterre.

— Mais je suis curieuse, insista Lady Valerie. J'ai vu Mrs. Standish se promener en voiture dans le parc et j'ai entendu parler du nombre de grands cœurs et de fortunes encore plus grandes qui ont été déposés à ses pieds.

Ce disant, elle jeta un regard de biais de ses yeux verts en direction du duc qui était encore assez naïf pour rougir en comprenant que Lady Valerie était au courant de ses relations avec Caroline.

Sa liaison avec celle-ci était finie depuis un an au moins quand cette conversation avait eu lieu et il était à l'époque trop épris de Lady Valerie Voxon pour se préoccuper de ce qui arrivait à une ancienne maîtresse. Il était revenu sur terre pour découvrir la pénible réalité : Caroline lui avait extorqué jusqu'à son dernier sou. Parce qu'il était trop peu expérimenté pour savoir dire non à une femme séduisante, il s'était retrouvé dans les dettes jusqu'au cou et avait été obligé de supplier son oncle de la façon la plus humiliante pour éviter d'être enfermé dans la prison pour dettes de Fleet.

Quelqu'un répondit à la dernière question de Lady Valerie :

— Caroline a compris que la prudence est l'essentiel du courage. Comme elle n'est jamais en peine de solution pour se sortir du plus mauvais pas, elle s'est retirée à la campagne avec un admirateur qui, je le crains, sera peut-être assez stupide pour l'épouser.

— Qui donc ? fusa la question.

Le duc, qui s'efforçait de capter l'attention de Lady Valerie, n'entendit pas le nom mais seulement la fin de la phrase :

— ... vous l'avez peut-être vu, un homme assez distingué.

Il semblait incroyable que quiconque connaissant le passé tumultueux et tristement célèbre de Caroline puisse s'imaginer qu'elle s'en irait mener une vie paisible au domaine des Quatre-Vents. Mais peut-être le père de Georgia, honnête et chevaleresque sur le chapitre des femmes, avait-il été amené par ruse à jouer les sauveteurs dans le style du preux Galaad. Il n'avait pas deviné que ces douces petites mains blanches qui imploraient sa protection étaient en réalité des serres avides, prêtes à prendre encore et toujours.

Apparemment, Sir Hector n'avait pas vécu longtemps, pas assez même pour s'apercevoir de la rapacité qui poussait Caroline à extorquer des sommes exorbitantes à ses admirateurs — et de son besoin irrésistible de notoriété, quoi qu'il dût en coûter à sa réputation.

« Quel imbécile de s'être laissé duper par Caroline ! » murmura le duc.

Puis il se rappela avec un certain malaise qu'il avait eu la tête tournée par elle dès leur première rencontre. En fait, elle avait été la première belle qu'il avait installée sous sa protection dans une des petites maisons de Chelsea et pour qui il avait acheté un équipage.

Il devina par la suite, quand il fut libéré de son emprise, qu'il n'avait pas été le seul banquier de Caroline mais, à l'époque, il s'était cru l'unique objet de son affection.

« J'ai chèrement payé mon expérience », songea le duc avec un sourire amer.

Il ne s'était montré guère plus avisé quand, après s'être guéri de Caroline (ou plutôt quand elle se fut débarrassée de lui), il était revenu de la Péninsule pour tomber amoureux d'une autre séduisante Circé, Lady Valerie Voxon.

Il n'était, en tout cas, pas le seul à courtiser la plus célèbre et la plus discutée des *Incomparables* de Londres. Lady Valerie Voxon était plus que belle, elle était sensationnelle. Sa conduite faisait hocher la tête aux douairières qui prophétisaient que sa mère devait « se retourner dans sa tombe, la pauvre femme » ! Ses contemporaines se mordaient les lèvres et la détestaient.

Valerie avait toute la jeunesse dorée de St. James à ses pieds qu'elle avait d'ailleurs fort beaux. Le duc fit sa déclaration bien que sachant sa cause sans espoir. Valerie leva ses longs doigts fuselés pour lui tapoter la joue.

— J'ai beaucoup de sympathie pour vous, Trydon, dit-elle. En d'autres circonstances, j'aurais même pu finir par vous aimer. Mais, mon cher, je ne me vois pas devenant l'épouse d'un soldat sans fortune.

— Peut-être mon oncle nous aidera-t-il, répliqua le duc dont la conviction sur ce point était faite : il n'y fallait pas compter.

Valerie secoua la tête.

— Quelle aide attendez-vous de votre oncle ? questionna-t-elle. Une maison modeste dans un quartier pauvre de Londres ou une fermette à la campagne ! Vous me voyez en train de traire les vaches ? Non, Trydon ! Je veux une situation, je veux des maisons, des carrosses et des chevaux. Je veux avoir les moyens d'aller au bal et dans des raouts. Je veux des vêtements, des bijoux et toutes sortes de choses exotiques délectables qui coûtent cher.

Le duc resta silencieux. Que pouvait-il dire ? Valerie posa la main sur la sienne.

— Je vais épouser le comte de Davenport, dit-elle à mi-voix.

— Darcy ! s'exclama le duc. Vous ne pouvez pas, c'est un garçon très bien mais pas pour vous, Valerie.

— Sa Seigneurie est très riche, répliqua Valerie, et je ne voudrais pas l'offenser en restant seule avec vous ici.

Elle avait de nouveau levé la main pour lui caresser la joue.

— Si seulement la situation était différente, dit-elle avec un léger soupir.

Le duc se rappelait encore la sensation de vide et de désespoir qu'il avait éprouvée après son départ, mais que pouvait-il faire ? Il n'avait ni fortune ni espérances et nul devin capable de lire l'avenir ne s'était trouvé dans les parages pour lui prédire qu'en moins d'un an les deux hommes apparemment robustes qui le séparaient du titre de duc seraient morts l'un et l'autre.

Il était donc retourné dans la Péninsule en déclarant que « les femmes étaient des démons ! » et que moins on avait affaire à elles, mieux cela valait. Son opinion ne changea pas quand, à son retour, Valerie, radieuse et encore plus belle qu'avant son mariage maintenant qu'elle était comtesse de Davenport, lui fit clairement entendre qu'ils pouvaient renouer leurs relations au point où ils les avaient laissées, sur un plan beaucoup plus ardent.

— Si seulement j'avais su que vous deviendriez duc, Trydon, dit-elle avec un soupir, comme ils dansaient ensemble au bal de Lady Blessington.

— Darcy est un brave garçon, répliqua-t-il, conscient qu'à l'autre bout de la salle le mari la contemplait avec une expression d'admiration peinte sur son franc visage grassouillet.

— Je m'ennuie... je m'ennuie... je m'ennuie ! se lamenta Valerie. Sauf, bien sûr, quand je suis avec vous.

Comme un cheval qui flaire le danger, le duc avait fui la suggestion qu'il ne lisait que trop bien dans les yeux de Valerie. C'était, en fait, l'attitude de Lady Davenport qui plus que tout lui avait fait accepter la proposition de sa marraine, si absurde qu'elle lui ait paru.

— Viens donc au bal que je donne à la campagne, lui avait-elle dit, et tâche d'y trouver une épouse qui te convienne !

Il savait maintenant qu'il n'avait nullement l'intention de se marier. Les Caroline, les Valerie, les Janita et ces demoiselles de bonne famille au sourire apprêté qui couraient après son argent se valaient toutes. Ce n'est pas lui qu'elles recherchaient mais ce qu'elles pouvaient en tirer. Elles en voulaient à sa haute situation, à son argent, peut-être aussi à sa personne physique. Elles ne s'intéressaient pas à Trydon, à l'homme qu'il avait été toute sa vie, à celui qui ne s'était jamais attendu à devenir duc. Il avait pris la vie comme elle se présentait, avec légèreté quand il fallait affronter la mort, sérieusement quand son honneur était en jeu.

A l'heure présente, étendu sur le lit étroit où d'autres fugitifs s'étaient reposés au cours des siècles, il songeait que c'est folie de ne pas savoir battre en retraite au bon moment. Il ne tenait pas à revoir Caroline ; elle appartenait à un passé révolu. Et d'après ce qu'il avait surpris derrière le panneau secret de sa chambre, l'âge ne l'avait pas améliorée.

Elle avait toujours été acariâtre, et une mégère ne peut que devenir plus querelleuse avec les années.

« Il faut que je fiche le camp d'ici », pensa le duc.

Il sortit sa montre et vit qu'il allait être bientôt minuit. Il ne tarderait pas à pouvoir se glisser incognito jusqu'aux écuries, seller son cheval et prendre la clef des champs. Il ne souhaitait nullement se compromettre plus avant avec aucun des hôtes de cette demeure. Il regrettait seulement de ne pas se rappeler l'identité de l'homme en gris. Il l'avait déjà vu quelque part et, chose agaçante, n'arrivait pas à mettre un nom sur son visage.

D'ailleurs, en quoi une des nouvelles conquêtes de Caroline pouvait-elle lui importer, ou même attiser sa curiosité ? Il était navré pour Georgia, comme pour quiconque aurait été la belle-fille de Caroline. Le mieux pour elle serait de pousser son époux à quitter la marine et de le laisser dénouer cet imbroglio. Quel beau pétrin à retrouver chez soi pour un marin ! Mais, après tout, c'était son affaire.

Le duc eut soudain l'impression de suffoquer. La pièce était si petite que les murs lui semblaient l'écraser. Il avait envie de s'en aller mais, au fond de lui-même, il savait que c'était le passé qui l'étouffait. Revoir Caroline avait réveillé le souvenir de ses cajoleries, la manière dont elle lui soutirait de l'argent mais aussi la douceur de ses bras autour de son cou, son visage levé vers le sien :

« Je t'en prie, Trydon, je t'en prie. Il faut absolument que j'achète une nouvelle robe. Je voudrais tant que tu sois fier de moi. »

« S'il te plaît, Trydon, un autre bracelet pour porter avec ma toilette en voile vert. »

Et finalement il y avait eu cette folle, cette démentielle dépense du collier de rubis. Elle l'avait porté un soir « pour lui montrer l'effet »... sans rien d'autre sur ce corps blanc et souple aux courbes adorables, qui exerçait une sorte de fascination sur un jeune homme inexpérimenté comme l'était alors Trydon. Elle l'avait rendu fou de désir, mais elle n'avait cédé que lorsqu'il eut promis de payer le collier !

Le duc se leva du lit. S'il l'avait pu, il aurait marché de long en large sans arrêt dans la pièce pour s'arracher aux fantômes qui le hantaient. Mais la place manquait et il dut s'asseoir sur la chaise dure à côté de la table où gisaient les assiettes sales qui avaient servi à son repas.

Parce qu'il était furieux contre lui-même et ses souvenirs, parce qu'il s'ennuyait et souhaitait recouvrer sa liberté, la colère grandit en lui. Il n'avait aucunement l'intention de se compromettre une minute de plus dans cette situation désagréable. Ce n'était pas la place du duc de Westacre et il se demanda comment il avait pu être assez imprudent pour se laisser aller à aider une poignée de contrebandiers amateurs.

Les chandelles avaient brûlé presque jusqu'aux bobèches, mais il y avait encore assez de lumière pour éclairer l'expression résolue et plutôt sévère du jeune homme quand, à une heure du matin, Georgia monta l'escalier sur la pointe des pieds.

Elle entra dans la pièce et referma la porte derrière elle.

— Je m'attendais à ce que vous veniez plus tôt, dit le duc d'une voix maussade.

— Excusez-moi, répondit-elle, mais certaines choses avaient requis mon attention.

— Puis-je m'en aller maintenant sans encombre ? s'enquit-il. Car j'aime autant vous avertir, Mrs. Baillie, que j'ai l'intention de partir quelles que soient les conséquences.

— Oui, vous ne risquez rien. Le cocher doit dormir et j'ai prévenu Ned il y a quelques heures de seller votre cheval et d'aller vous attendre près de la crique.

Le duc poussa un soupir de soulagement.

— Alors partons.

Il s'apprêtait à se lever, mais Georgia étendit le bras comme pour l'en empêcher.

— Une minute, Mr. Raven. Avant que vous partiez, j'ai une chose à vous demander.

— Qu'est-ce que c'est ? dit le duc d'un ton las.

— Une faveur.

Il haussa les sourcils.

— Une faveur ? répéta-t-il. Alors, avant que vous formuliez votre requête, permettez-moi de vous dire que je ne suis pas en humeur d'accorder des faveurs. A parler franc, je désire être délivré de cette maison et de tout ce qu'elle contient le plus rapidement possible.

— Je ne peux certes pas vous en blâmer, répliqua Georgia, mais néanmoins voulez-vous savoir ce que je demande ? Je ne vous en aurais rien dit si je n'étais pas à bout de ressources.

Le duc pressentit des complications. Il regarda Georgia qui, à l'autre bout de la pièce, se tenait adossée à la porte. Son visage était très pâle et elle avait l'air lasse et abattue comme si elle avait outre-passé ses forces. Ses cheveux retombaient en désordre sur son front et il remarqua que la robe qu'elle portait avait l'ourlet taché comme si la jeune femme avait marché dans la boue.

— Eh bien, de quoi s'agit-il ?

Il parlait d'une voix sèche parce qu'il n'osait pas reconnaître au fond de son cœur qu'elle avait l'air pathétique et il s'efforçait d'oublier le son qu'avait produit la main de Caroline quand elle avait giflé la jeune femme.

— Il me manque un rameur.

Les mots semblaient sortir péniblement d'entre ses lèvres.

— Ah ! oui ? Cela ne me concerne pas.

Comme si le défi contenu dans ces paroles avait métamorphosé son humeur, de suppliante elle se fit à son tour agressive.

— Et si je vous obligeais à vous sentir concerné, Mr. Raven ? Si je vous disais par exemple qu'au cas où vous ne m'aideriez pas je ne vous laisserais pas partir d'ici ! Que si vous ne faites pas ce que je dis je vous dénoncerai ! Pas comme contrebandier — ce qui risquerait de compromettre d'autres person-

91

nes — mais comme voleur, comme quelqu'un qui
s'est caché ici dans l'intention de dérober des bijoux
aux invitées qui en possèdent toutes de grande
valeur.

Georgia lui crachait quasiment les mots à la
figure. Le duc en fut tellement surpris et suffoqué
qu'il resta un instant bouche bée à la regarder. Puis,
rejetant la tête en arrière, il éclata de rire.

— Allez-y, dit-il, dénoncez-moi ! Faites monter ces
sacs à vin de dandys s'ils sont encore capables de
tenir debout — ce dont je doute — dites-leur de
s'emparer de moi et de me traîner devant la justice.
Ils auront certainement du mal à monter l'escalier et
je pourrai les repousser l'un après l'autre dès qu'ils
arriveront à cette cachette. Mais n'oubliez pas, ma
chère, que votre sanctuaire secret ne sera plus secret.
Tous le connaîtront, y compris votre belle-mère.

Avant même d'avoir fini sa phrase, le duc s'avisa
qu'il avait enfreint les règles édictées par le marquis
de Queensberry pour le noble art de la boxe et qu'il
avait frappé un coup bas. Georgia cacha son visage
dans ses mains.

— Je ne parlais pas sérieusement, murmura-t-elle.
Oubliez ce que j'ai dit. Je cherchais seulement à
vous convaincre de m'aider.

— Pour traverser illégalement la Manche ? Je
regrette beaucoup de devoir manquer de galanterie,
mais la réponse est « non ».

— Je le craignais. Et cela signifie qu'il faudra
partir avec un homme de moins, ce qui nous
ralentira et rendra la traversée d'autant plus dange-

reuse, à moins d'enrôler un homme d'un autre village, ce qui serait une folie. La seule chose qui nous a protégés jusqu'à présent, c'est le fait que personne en dehors du domaine n'est au courant de ce qui se passe.

— Cela ne regarde que vous, déclara le duc avec vivacité et si vous voulez suivre mon conseil vous quitterez cette maison sur-le-champ ! Vous avez sûrement des parents ou des amis. Allez chez eux.

— Vous ne comprenez pas, répliqua doucement Georgia. Mais, comme vous le dites, cela ne vous concerne pas. Je vais vous conduire jusqu'à votre cheval.

— Merci, répondit le duc en prenant son chapeau.

— Nous devons descendre le plus silencieusement possible, recommanda-t-elle. Je ne pense pas qu'aucun soit en état d'entendre du bruit, si strident soit-il, mais on ne sait jamais.

Sans attendre sa réponse, elle souffla les chandelles et s'engagea sur la pointe des pieds dans l'escalier. Le duc la suivit. L'obscurité était totale et ils en étaient réduits pour s'orienter à tâter le mur. Ils étaient guidés par le vacarme et les rires qui résonnaient en bas dans le salon.

Comme le duc l'avait prévu, la compagnie avait bu plus que de raison à cette heure de la nuit. Les femmes poussaient des petits cris aigus comme si elles étaient poursuivies ou protestaient avec volubilité pour la forme contre les assauts de leurs partenaires masculins. Les hommes émettaient des sons gutturaux ; le duc reconnut un fragment d'une chanson paillarde entonnée par quelqu'un qui aurait certainement été incapable de rester debout pour la chanter.

Il s'attendait à ce que Georgia le fasse sortir dans le vestibule et il se demandait s'il n'y aurait pas là un domestique ensommeillé attendant que la noble compagnie aille se coucher pour procéder à l'extinction des feux. Mais la jeune femme ouvrit une porte du côté opposé et il la suivit le long d'un couloir étroit.

Une clef tourna dans une serrure, un verrou fut tiré ; le duc sentit soudain l'air nocturne sur son visage et, en avançant d'un pas, il se rendit compte qu'il était sorti dans le jardin.

Georgia referma la porte derrière elle. Le duc constata qu'ils devraient franchir un bosquet de buissons en fleur avant d'atteindre l'allée sablée qui faisait le tour de la maison. Il y avait un peu de clair de lune, mais pas assez pour bien voir et, comme il trébuchait, il sentit la main de Georgia saisir la sienne.

— Laissez-moi vous conduire, chuchota-t-elle. Je connais bien le chemin.

Ils longèrent la pelouse en restant dans l'ombre des arbres et parvinrent à une petite barrière donnant accès au paddock aménagé derrière les écuries.

— J'espère que vous vous tirerez de vos difficultés, dit-il d'un ton dégagé, comme s'il poursuivait une conversation mondaine.

94

— Notre seule sauvegarde est la rapidité, répliqua-t-elle, toujours préoccupée par le rameur qui lui manquait.

— Qu'est-il arrivé à ce brave homme ? demanda le duc.

— Il est parti au marché. C'est à vingt kilomètres d'ici et sa femme dit qu'il a l'intention de passer la nuit là-bas. Je ne peux rien faire ; ce serait folie de l'envoyer chercher. Il serait obligé d'expliquer à ses amis pourquoi on a besoin de lui et ces gens ne savent pas bien mentir. Ce sont des paysans, des hommes qui ont travaillé la terre toute leur vie, qui n'ont pas appris dès l'enfance à combattre le danger, la traîtrise, et à s'engager dans des entreprises téméraires.

— Ils sont payés pour cela, riposta le duc d'un ton peu amène.

— Un salaire dérisoire, répondit Georgia. Ils ne reçoivent aucune part des bénéfices comme les autres équipages.

— Alors pourquoi diable le font-ils ? questionna le duc.

— Parce qu'autrement ils mourraient de faim ! Vous ne savez pas comme c'est difficile de trouver du travail dans cette région. D'ailleurs, ils vivent ici depuis leur naissance, leurs parents habitaient leur ferme avant eux. Ce sont nos tenanciers, nous en sommes responsables ou plutôt j'en suis responsable puisque Charles est en mer.

— Vous devez avoir des ressources pour entretenir une propriété comme les Quatre-Vents, remarqua le duc.

— Mon père a légué tout ce qu'il possédait en usufruit à ma belle-mère. Elle ne s'intéresse ni à la maison ni au domaine. Elle vient ici quand elle a des amis qui ont envie de passer une nuit ou deux à la campagne. Ils arrivent, ils jouent, puis ils repartent, la plupart du temps sans même avoir mis le pied hors de la maison.

Le duc le croyait volontiers. Caroline jugeait certainement les Quatre-Vents un endroit commode pour ses rendez-vous, un endroit où elle pouvait organiser des réceptions pour amuser des hommes âgés comme Ravenscroft ou tourner la tête à quelque nouvel admirateur qu'elle n'avait pas réussi à séduire tout à fait dans le tourbillon des mondanités londoniennes. La campagne en tant que telle lui était totalement étrangère. Le duc ne put réprimer un soudain élan de pitié pour la belle-fille inexpérimentée de Caroline qui s'était trouvée empêtrée inexorablement dans la toile d'une araignée venimeuse très adroite.

Il s'arrêta brusquement dans la pénombre. Au même moment, la lune sortit de derrière un nuage, ce qui lui permit de voir le visage de Georgia.

— Vous ne pouvez pas continuer comme ça, vous savez, dit-il. Tôt ou tard, vous vous ferez prendre. Les contrebandiers finissent toujours par être pris. Alors les hommes dont vous vous préoccupez tant seront pendus ou déportés Dieu sait ce qu'il adviendra de vous-même.

— Oui, nous serons pris, admit Georgia, et probablement demain soir. Partir avec un homme d'équipage en moins revient presque à envoyer un message d'avertissement aux gardes-côtes.

Il y eut un silence, puis elle reprit d'une voix tremblante :

— Je vous supplie de nous aider, Mr. Raven.

— Je ne peux pas, dit le duc. Ne me demandez pas d'expliquer pourquoi.

— Vous êtes vous-même dans l'embarras ; vous devez bien avoir de la sympathie pour moi, supplia la jeune femme. Je suis dans une situation pénible, dramatique ! Je ne vous le demanderais pas s'il s'agissait de gagner de l'argent. Je comprendrais parfaitement que vous crachiez sur nous et que vous partiez. Mais... quelqu'un... la vie de quelqu'un en dépend.

— Vous devriez vous confier à moi, dit le duc.

— Je ne peux pas. Ce n'est pas mon secret. Je ne peux le confier à personne. Je sais seulement que, faute de faire ce qu'on m'a ordonné, il s'ensuivrait des conséquences si terribles que je préférerais mourir sur-le-champ plutôt que de les voir se produire.

Le duc posa les mains sur les épaules de Georgia.

— Petite sotte, dit-il d'un ton amical, vous ne pouvez pas supporter ce fardeau toute seule. Quelle est cette menace que votre belle-mère suspend au-dessus de votre tête ? Quoi qu'il en soit, ne lui obéissez pas. C'est une femme dépravée. Je sais tout d'elle,

97

Georgia. Quand je l'ai vue, cette nuit, je l'ai reconnue.

Il sentit Georgia frémir.

— Oui, elle est dépravée, murmura-t-elle. Dépravée et méchante, mais je ne peux pas lui échapper.
Je dois lui obéir.

— Non ! s'exclama le duc presque à haute voix.
Vous devez l'affronter, lui dire que vous n'avez plus
peur d'elle et de ce qu'elle pourrait faire.

— Mais j'ai peur. Vous ne comprenez pas ! Elle
m'obligera à exécuter ses ordres quoi que vous
disiez.

— Même à introduire dans le pays cet instrument
de Bonaparte ? Un homme qui est sûrement un
espion ?

Georgia sursauta, puis se dégagea d'un mouvement brusque.

— Vous avez donc entendu ça ?

— Je n'ai pas pu faire autrement, expliqua le
duc. Ne vous étiez-vous pas rendu compte que tout
ce qui se dit dans la chambre de votre belle-mère
s'entend de l'escalier ?

— Je l'avais oublié ! s'écria Georgia. Je me souve-
nais que l'on pouvait voir dans le salon, mais la
chambre était inoccupée depuis très longtemps.
C'était celle de ma mère, et ma belle-mère n'a exigé
de s'y installer que parce que toutes les autres
chambres étaient occupées.

— Cela vous paraît peut-être répréhensible, mais
j'ai entendu tout ce qu'elle disait, poursuivit le
duc.

Il comprit que Georgia était gênée à la façon dont elle détourna la tête et il devina qu'elle rougissait.

— Je l'ai entendue vous frapper, continua-t-il d'un ton plus doux. Comment supportez-vous d'être ainsi humiliée ?

— Je ne peux rien faire, répliqua-t-elle à voix basse.

— Vouloir traverser de nouveau la Manche demain soir est insensé, reprit le duc. Et, chose plus grave, c'est un acte condamnable d'introduire cet espion français dans le pays. Nous sommes en guerre, Georgia. Les hommes comme votre frère se battent contre la puissance terrible de Napoléon. Ne comprenez-vous pas que les espions et les traîtres minent nos forces et que nos marins et nos soldats meurent à cause d'eux ?

Georgia poussa un léger cri et se boucha les oreilles.

— Ne le dites pas, supplia-t-elle. Je suis restée éveillée des nuits entières à chercher un moyen de refuser d'obéir à ses ordres. Mais il n'y a pas d'échappatoire : je dois me soumettre.

Il y eut un brusque silence. Puis, d'une voix profondément découragée, elle ajouta :

— J'ai peur, oui, je reconnais que je me sens lâche en ce qui concerne demain soir. J'ai un pressentiment, je ne sais pourquoi...

Le duc était indécis. Le bon sens lui disait de continuer son chemin vers l'endroit où attendait sa monture, mais tout ce qu'il y avait en lui de sentiment chevaleresque et d'instinct protecteur l'obli-

geait à rester là. Le silence entre eux semblait devoir
s'éterniser quand Georgia s'écria :

— Il faut que vous partiez ! Ned va se demander
pourquoi vous mettez tellement de temps.

Le duc s'ébroua comme s'il sortait de transe.
Ils poursuivirent lentement leur chemin sur l'herbe
rude qui céda progressivement la place à des cailloux
et des galets. Ils approchaient de la crique et, dans
un petit creux, hors de vue de la maison, le duc
aperçut son cheval. Il s'arrêta de nouveau et se
tourna vers Georgia.

— Il doit bien exister une solution ! s'écria-t-il
avec humeur.

— C'est ce que je pensais, répliqua-t-elle.

Sa voix ne tremblait plus, elle était ferme et
froide.

— Je pourrais discuter avec votre belle-mère, par
exemple, reprit le duc à contrecœur.

— Qu'en sortirait-il ? Même si vous l'avez connue
naguère, elle ne vous remerciera pas de contrecarrer
ses plans. D'ailleurs j'ai l'impression que ce ne sont
pas toujours ses ordres à elle que nous exécutons.

— Alors ceux de qui ? demanda le duc, qui s'avisa
de la réponse au moment même où il posait la question : l'homme en gris, au visage ironique et hau-
tain ; l'homme en gris qui semblait à cent coudées
au-dessus du reste de cette compagnie tapageuse et
canaille.

— Je ne sais pas son nom, répondit Georgia. Mais
d'après certaines choses qu'a dites ma belle-mère, je
pense que c'est un Français.

— Un Français ? — L'exclamation du duc fusa comme un coup de pistolet. — Georgia, vous ne comprenez donc pas ce que cela signifie ? Ce doit être vraiment des espions que vous amenez dans le pays.

— Je sais, je sais, dit Georgia, mais je n'y peux rien. Je vous ai expliqué que je reçois des ordres et que je les exécute.

— Mais pourquoi ? insista le duc. Vous êtes une femme et ce n'est pas un travail de femme.

— Cela fait partie de l'histoire que je ne peux pas vous raconter, répliqua Georgia. Qu'il suffise de dire que jusqu'à présent nous avons évité la capture et que quelqu'un est sauf.

— Quelqu'un que vous aimez ? questionna-t-il avec douceur. Alors ce doit être votre frère ou votre mari.

— Ne m'interrogez pas, riposta vivement Georgia. Vous n'avez pas le droit ! Partez tout de suite !

Elle s'élançait déjà pour descendre devant lui la pente au bas de laquelle se trouvait le cheval, mais le duc la rattrapa par le bras.

— Je veux aller au fond des choses. Votre belle-mère exerce sur vous un chantage qui concerne votre frère, n'est-ce pas ?

— Lâchez-moi, dit-elle avec fureur. Je ne vous connais pas et je n'ai aucune confiance en vous. Vous êtes même venu ici en prétendant être quelqu'un d'autre.

— Je serais mort si je n'avais pas menti. Non pas

101

que votre porcher ou celui qui tenait le mousquet dût être un tireur hors ligne !

— Ce n'était pas le porcher, corrigea naïvement Georgia. C'était le vieux Sam, le garde forestier. Il touche un lapin à la tête à quarante mètres, alors vous n'aviez aucune chance d'en réchapper.

— Ne vous méfiez donc pas de moi simplement parce que j'ai sauvé ma peau, implora le duc. Ecoutez-moi, Georgia, laissez-moi vous aider.

La jeune femme qui s'efforçait de se dégager s'immobilisa.

— Vous pouvez m'aider en prenant une rame dans ce bateau demain soir, répliqua-t-elle.

— Si j'accepte, reprit le duc, est-ce que vous me direz votre secret ? M'accorderez-vous assez de confiance pour me permettre de vous aider ?

— Si vous m'accompagnez demain soir, je me fierai peut-être à vous puisque vous aurez fait vos preuves. Mais vous seriez sage de vous en aller maintenant comme vous en aviez l'intention. Votre cheval est là-bas, partez et oubliez-nous. Oh, je sais que je vous ai supplié de rester, mais je sens bien que j'avais tort. Cet imbroglio ne vous concerne pas, c'est mon affaire et c'est à moi de m'en sortir du mieux que je peux.

— Vous êtes une femme, répéta-t-il. Ce n'est pas une affaire de femme.

— J'aimerais bien le croire, mais je dois oublier que je suis femme et le faire oublier aussi à mes hommes. Ils m'obéissent parce que je suis la fille de mon père : c'est le vieux squire qui parle par ma voix, pas une frêle petite créature en jupons.

— Quelle drôle de fille vous êtes, commenta le duc.

Elle leva la tête un instant vers lui et, à la clarté de la lune, il se rendit compte que ses yeux le regardaient intensément, comme si elle cherchait à se rassurer.

— Vous pensez vraiment ce que vous dites ? Vous viendrez avec nous demain ?

Le duc jeta au vent les derniers vestiges de prudence que lui imposait son bon sens.

— Je viendrai, dit-il, mais que Dieu m'aide ! car je crois que je suis idiot et que j'ai le cerveau vide !

Elle eut un petit rire perlé qui le surprit.

— Vous avez l'air presque désespéré, alors que je me sens soulagée, légère et insouciante. Le pressentiment que j'avais d'un danger s'est évanoui. Il me semble que parce que vous serez là nous reviendrons sans encombre de notre expédition.

— Avec un espion à débarquer sur les côtes d'Angleterre, compléta le duc à mi-voix.

— Avec une autre cargaison, corrigea-t-elle. Je ne suis pas responsable. Je me contente d'exécuter des ordres.

— Nous sommes tous responsables. Et maintenant, en rentrant à la maison, je désire que vous fassiez quelque chose pour moi.

— Quoi donc ? demanda-t-elle.

— Je veux que vous découvriez le nom d'un

homme en gris, il porte un habit et une culotte de cette couleur. Il est grand, brun et assez sinistre d'apparence.

— Je ne me préoccupe jamais des invités de ma belle-mère, dit Georgia avec dégoût. Je les déteste, comprenez-vous ? Je déteste la haute société et tout ce qu'elle implique. Il m'est arrivé de rencontrer ces hommes ; maintenant, quand ils viennent chez moi, je me cache.

— Je le comprends très bien, dit le duc avec douceur.

Georgia poursuivit comme si elle ne l'avait pas entendu :

— Je me cache jusqu'à ce qu'ils soient partis. Cet homme, ce Lord Ravenscroft avec ses lèvres épaisses et ses mains tièdes... et les autres... quand ils sont venus la première fois... — Elle frissonna légèrement, puis reprit d'une voix si basse qu'il discernait à peine ce qu'elle disait : — Je les déteste ! Je préférerais mourir plutôt que de les rencontrer de nouveau !

— N'y pensez plus, ordonna sèchement le duc. Ne vous laissez pas ronger par ce qui est arrivé.

Elle tourna la tête vers lui.

— Croyez-vous ? demanda Georgia songeuse.

— Oui, votre esprit, votre cœur, votre âme en sont empoisonnés. Quelle qu'ait été l'expérience que vous avez subie — et je vois très bien ce que c'était — oubliez-la. Ils ne peuvent plus rien contre vous, vous êtes mariée et votre mari devrait être ici pour vous protéger.

— Oui, je sais, répliqua précipitamment Georgia, mais il y a la guerre et il se trouve en mer. Il ne peut pas être ici et je... je dois me défendre toute seule.

— Vous avez votre cachette, dit le duc avec un petit sourire.

— Oui, j'ai cela, répondit-elle.

— Je ne voudrais pas insister, reprit-il, mais il me semble important de connaître le nom de ce gentilhomme. Demandez à Nounou d'essayer de l'apprendre par un des domestiques.

— Je lui en parlerai, dit Georgia d'un ton hésitant, mais il nous faut agir avec prudence. Lord Ravenscroft ignore que je suis dans la maison. S'il s'en apercevait, il exigerait peut-être de me voir.

D'après la peur qui résonnait dans sa voix, le duc se rendit compte qu'elle avait dû vivre une très pénible expérience. Dans un geste de consolation, il étendit la main et prit celle de Georgia.

— Si nous revenions à la maison ? suggéra-t-il. Nous avons des plans à faire pour demain et, comme vous le disiez tout à l'heure, il faut que Ned puisse aller dormir.

— Vous nous accompagnez vraiment ?

Elle parlait d'une voix oppressée, comme si elle avait encore du mal à s'en persuader.

— Je vous aiderai, promit le duc, — et il se demanda s'il n'y avait pas une hérédité de folie dans sa famille. Jamais de sa vie il ne s'était lancé dans une entreprise aussi insensée.

CHAPITRE V

NOUNOU ÉTAIT SUR LE POINT DE s'endormir quand Georgia ouvrit doucement la porte de sa chambre et se faufila dans la pièce.

— Est-ce vous, m'amie ? questionna-t-elle en se redressant sur ses oreillers.

— Qui serait-ce d'autre ? dit Georgia.

— Le gentilhomme est parti ?

Georgia s'approcha du lit et regarda la vieille femme aux joues roses comme des pommes d'api, au doux visage ridé.

— Non, Nounou, répondit-elle. Il reste.

Nounou s'assit dans son lit.

— Il reste ? Ne me dites pas que Mr. Raven fera la traversée avec vous demain ?

— Si. Je l'ai convaincu, expliqua Georgia. Oh, Nounou, j'ai l'impression d'avoir commis une imprudence ! Il n'est pas des nôtres. Nous ne sommes même pas certaines de pouvoir nous fier à lui. Mais qu'aurais-je fait d'autre ? Enoch ne reviendra probablement du marché que longtemps après notre départ pour la France... si même il ne rentre pas que dimanche matin.

— Mr. Raven ne vous trahira pas, répliqua calmement Nounou. J'en suis sûre... aussi sûre que je suis couchée ici.

— Mais il est tellement mystérieux, objecta Georgia. Bien vêtu, visiblement gentilhomme et pourtant fugitif. Il se cache, il me l'a dit.

— Je me demande pour quelle raison, commenta pensivement la nourrice. Ce sont les dettes qui poussent les gentilshommes à prendre la clef des champs. Cela ne paraît pas être le cas de ce Mr. Raven. Si vous voulez mon avis, je crois qu'il est de noble naissance et je suis bien placée pour le savoir puisque j'ai passé ma vie à servir des seigneurs.

— Il n'y a rien de bien seigneurial dans la vie que nous avons menée ces dernières années, rétorqua Georgia. Peut-être as-tu oublié comment doit être un gentilhomme. Ce ne sont pas ceux qui ont séjourné ici qui ont pu te rafraîchir la mémoire.

— C'est bien vrai, chérie, acquiesça Nounou, mais n'y pensez plus... vous savez comme cela vous bouleverse.

— Je ne peux pas m'en empêcher, répliqua Georgia d'une voix qui se brisait. — Elle s'assit au bord du lit de sa nourrice.

— Je ne les vois jamais venir ici, poursuivit-elle tout bas comme si elle se parlait à elle-même, sans me rappeler ce qui est arrivé la première fois que ma belle-mère a amené des invités de Londres.

— N'y pensez plus, Miss Georgia, répéta Nounou d'un ton suppliant.

Mais Georgia continuait sans avoir l'air d'entendre.

— Je revois encore Sa Seigneurie, murmura-t-elle, l'image de l'élégance dans sa robe de mousseline à la dernière mode et son fichu bordé de duvet de cygne. Elle m'a dit de cette voix qui me paralyse : « Vous avez l'air d'une fille de ferme. Laissez de côté pour ce soir vos manières de paysanne et dînez avec nous. J'ai un ami qui est très désireux de faire votre connaissance. »

— N'y pensez plus ! N'y pensez plus ! implora Nounou.

Elle connaissait l'incident par cœur, car elle n'en avait entendu que trop souvent le récit.

Mais le regard de Georgia restait fixé sans le voir sur le crucifix suspendu au-dessus du lit de sa nourrice, et elle revivait en esprit cette nuit terrifiante.

Elle était descendue dîner le cœur en fête. La vie avait été bien calme et solitaire au domaine des Quatre-Vents depuis la mort de son père. Aussi était-ce une distraction inattendue que d'enfiler la robe coûteuse donnée par sa belle-mère et de se coiffer selon ce qu'elle pensait être la dernière mode. La joie de se parer de jolis vêtements, à laquelle aucune femme ne résiste, avait mis une flamme dans ses yeux et du rose sur ses joues.

En se regardant dans le miroir, elle devina qu'elle n'avait pas à être honteuse de son apparence.

— Vous êtes en beauté ce soir, Miss Georgia, constata sa nourrice avec enthousiasme. Je regrette que votre pauvre père ne puisse pas vous voir.

— Papa aurait sûrement été heureux que je dîne à la salle à manger, répondit Georgia en songeant à l'année précédente où elle était habillée de noir et s'était sentie parfois affreusement déprimée par la solitude dans la maison vide. Mais sa belle-mère venait d'arriver de Londres avec des domestiques et une énorme provision de chandelles pour garnir les candélabres.

Il y avait des maîtres queux qui s'affairaient dans les cuisines à préparer ce qui paraissait à ses yeux inexpérimentés un festin pantagruélique. Des fleurs avaient été cueillies dans les jardins et les serres pour décorer le salon et remplir les vastes coupes chinoises du vestibule. Les meubles avaient été dépouillés de leur housse et des feux allumés dans toutes les pièces.

Elle n'avait encore jamais possédé de robe aussi luxueuse que celle donnée par sa belle-mère. Quand elle entra au salon elle eut l'impression que l'assistance entière braquait les yeux sur elle, mais elle n'en fut pas intimidée. C'est seulement plus tard qu'elle eut peur à cause du désir brutal dans la voix de Lord Ravenscroft ; à cause de la flamme sombre qui couvait dans ses yeux injectés de sang ; quand ses doigts maigres cherchèrent à la toucher.

Elle avait essayé de l'éviter sans y réussir. Tous les

autres assistants jouaient ou s'étaient groupés par deux. Elle s'était retrouvée isolée avec lui. Elle chercha un prétexte pour se retirer, mais elle ne voulait pas contrarier sa belle-mère qui avait tout fait pour la persuader de l'importance de Sa Seigneurie.

Il l'invita à lui montrer un tableau dans une antichambre. Inexpérimentée comme elle l'était, elle accepta. Dès qu'ils furent seuls, il la saisit dans ses bras et la pressa contre lui. « Non ! Non ! lâchez... lâchez-moi, Milord ! » s'écria-t-elle.

— Vous êtes délicieuse, dit-il de cette voix empâtée, rauque, qui la faisait penser à un animal. — Il la tenait si serré qu'elle avait du mal à respirer et sentait sur sa joue son haleine brûlante, avinée.

— Il faut que je... je revienne là-bas... on va croire... je... lâchez-moi !

— On croira la vérité... que vous êtes ravissante et que je vous désire.

Prise de panique, elle se débattit pour se dégager, le martelant avec ses poings. Mais il était trop fort pour elle. Les lèvres épaisses de Ravenscroft lui brûlèrent la joue dans un baiser brutal et déplaisant. Elle voulut crier, mais il trouva sa bouche.

— Vous m'excitez ! s'exclama-t-il d'une voix triomphante. Un petit oiseau qu'il faut que je capture ! Débattez-vous tant que vous voudrez, vous serez à moi !

Il l'embrassa de nouveau. Bien que prête à s'évanouir d'horreur et d'humiliation, elle réussit à se libérer. Elle s'enfuit, mais comme elle était tout étourdie elle traversa en courant le salon et se précipita dans le vestibule.

C'est alors que se produisit l'incident le plus terrifiant de la soirée. Excités par le vin et le cri de chasse de Lord Ravenscroft : *Débuché !*, les autres hommes s'étaient élancés à sa poursuite.

Bouleversée par les baisers de Lord Ravenscroft, Georgia n'avait pas eu la présence d'esprit de courir retrouver sa nourrice dans l'office. Elle monta précipitamment l'escalier en pleine vue de ses poursuivants. L'un d'eux ramassa un cor de chasse qui était posé sur la console du vestibule. Le bruit du cor et les cris de ceux qui la suivaient l'affolèrent autant qu'un jeune cerf fuyant devant une meute hurlante.

Elle montait toujours plus haut mais ils ne l'en suivaient pas moins. Essoufflée, tremblante, elle comprenait qu'ils avaient l'intention de la ramener de force en bas dans les bras de Lord Ravenscroft. Elle se rappela alors l'entrée secrète de la cachette du prêtre. Elle y arriva juste avant que le premier chasseur puisse l'apercevoir sur le palier. Elle se faufila par l'ouverture et s'affaissa, haletante et à demi inconsciente, sur les marches minuscules de l'escalier en colimaçon.

Elle entendait les invités continuer leurs recherches. Elle prêta l'oreille : ils ouvraient toutes les portes du couloir et les refermaient brutalement. Les cris de *Taïaut !* et *Débuché !* et les sonneries de cor retentirent longtemps.

Plus tard, elle se hissa tant bien que mal jusqu'à la

petite chambre en haut de l'escalier et s'étendit sur le lit, secouée de tremblements comme si elle avait la fièvre. Avec le jour, le courage lui revint et elle prit la résolution, quelles que fussent les menaces ou les flatteries employées par sa belle-mère, de ne plus revoir Lord Ravenscroft.

Lady Grazebrook n'avait pas été contente.

— Espèce de sotte paysanne, dit-elle d'un ton sarcastique, est-ce qu'il ne peut pas entrer dans votre tête de bois que Lord Ravenscroft vous serait extrêmement utile si vous ne voulez pas rester enterrée dans ce trou de campagne ?

— Je ne demande rien d'autre, répliqua Georgia. Je me trouve très bien ici et jamais plus — jamais, vous m'entendez ? — jamais je ne rejoindrai vos amis à dîner ou pour n'importe quel autre repas. S'ils viennent à la maison, ce à quoi je ne peux pas m'opposer, ils ne me verront plus.

— Ne soyez donc pas si stupide, dit Lady Grazebrook qui laissa sa phrase inachevée en voyant l'expression de Georgia.

— Je préférerais me tuer plutôt que de permettre à cet homme de me toucher, dit-elle posément.

Pour une fois Caroline Grazebrook eut la pudeur d'avoir l'air gênée.

— Sa Seigneurie s'est montré peut-être un peu brutal, concéda-t-elle. Il est habitué à ce que les femmes soient flattées de ses attentions. Il faut grandir, Georgia, et apprendre à manier les hommes. Laissez-moi parler à Lord Ravenscroft. S'il n'avait pas été éméché, il n'aurait pas dépassé les limites.

113

— Je refuse de le revoir, de lui parler ou de me trouver en sa présence, déclara Georgia. Si vous me forcez à rencontrer Lord Ravenscroft ou n'importe lequel des hommes que vous amenez ici, je m'enfuirai.

— Voilà le grand mot lâché ! Où irez-vous donc ? questionna Lady Grazebrook avec mépris.

Mais elle sentit qu'elle avait poussé Georgia à bout et, dès lors, elle n'insista plus pour qu'elle figure à ses réceptions.

Georgia devait subir une autre épreuve pénible. Le lendemain soir, elle se coucha de bonne heure mais sans pouvoir s'endormir. Les événements de la nuit précédente l'obsédaient. Soudain, à une heure du matin, il y eut un faible bruit devant sa chambre. Elle n'avait pas soufflé sa bougie ; en fait, après ce qui était arrivé, elle avait même peur de l'obscurité. Se redressant dans son lit, elle regarda comme fascinée la poignée de la porte tourner très lentement. Par bonheur, elle s'était enfermée à clef, contrairement à son habitude. Peut-être quelque instinct de conservation l'avait inconsciemment poussée à se servir de la clef ce soir-là.

Il y avait quelqu'un au-dehors, elle entendait sa respiration.

— Qui est-ce ? demanda-t-elle, tremblante.

Un chuchotement odieux lui parvint en réponse :

— Laissez-moi entrer, petite Georgia. Je voudrais vous parler.

Elle avait deviné de qui il s'agissait et elle fut

114

submergée par la même terreur panique qui l'avait incitée à s'enfuir la veille. Sautant à bas de son lit, elle rassembla ses forces pour pousser les meubles devant la porte. D'abord la commode, puis les fauteuils, la table de toilette et tout ce qu'elle fut capable de bouger. Une énergie quasi surhumaine l'animait et, quand elle eut fini, elle se sentit courbatue de la tête aux pieds. Elle guetta, immobile ; alors, dans la pénombre, elle avait entendu la voix de l'autre, détestable, arrogante, assurée.

— J'attendrai, petite Georgia, j'attendrai.

Il avait éclaté de rire avant de s'en aller.

Elle était tombée malade de terreur le lendemain et le resta longtemps après que les invités furent repartis pour Londres. C'est sa nourrice qui avait trouvé la solution : chaque fois que Sa Seigneurie et ses amis viendraient au domaine des Quatre-Vents, Georgia coucherait dans la petite pièce ouvrant sur sa propre chambre.

Elle n'était guère plus grande qu'un placard, mais Georgia s'y sentait en sûreté. Il n'y avait que deux endroits où elle était certaine que personne ne la trouverait : ce cabinet donnant dans la chambre de sa nourrice et la cachette du prêtre.

— Ne pensez plus à tout cela, chérie, répéta Nounou quand Georgia eut fini d'évoquer l'horreur et le désarroi de ces épreuves bouleversantes.

— Cela m'est impossible, répliqua Georgia. Chaque fois que Lord Ravenscroft est dans cette maison, Nounou, j'ai l'impression de sentir sa bouche sur la mienne. C'est un homme dissolu et il me

semble qu'il souille cette demeure rien que d'y passer.

— C'est fini, redit Nounou.

— N'empêche que tant qu'il vivra je ne parvien-
drai pas à me sentir en sécurité, riposta Georgia.
Bien que ma belle-mère n'en ait pas soufflé mot, j'ai
l'impression qu'il me réclame toujours. Elle m'a proposé ce soir de prendre une de ses robes pour me
joindre à ses invités. Qui donc pourrait désirer me
voir sinon lui ?

— Je crois que vous donnez trop d'importance à
ce qui n'a dû être qu'un incident minime dans la vie
de Sa Seigneurie, dit la nourrice. Vous pouvez être
sûre qu'il y a des quantités de femmes de toutes
conditions qui ne demandent pas mieux que de
plaire à un gentilhomme. Il vous aura oubliée.

Nounou ne croyait pas trop à ce qu'elle disait,
mais elle voulait rassurer Georgia.

— Si seulement je pouvais être certaine que c'est
vrai, dit celle-ci en soupirant.

— En tout cas, ils seront partis demain.

— Demain ? — Le visage de Georgia s'illumina
subitement. — Mais pourquoi si vite ?

— D'après ce qu'a dit le cocher de Madame, les
invités ne font que passer ici entre deux visites. Ils
ont couché la nuit dernière chez Lord Ravenscroft,
ce qui explique qu'ils soient arrivés d'aussi bonne
heure. Ce n'est qu'à quarante kilomètres d'ici. Ils
s'en iront demain pour aller chez un autre ami de
Madame. Son nom m'échappe.

— Cela me rappelle que Mr. Raven est désireux

116

de savoir qui est l'homme habillé de gris. Je crois que c'est le nouveau soupirant de ma belle-mère.

— En gris ? dit pensivement la nourrice. Je crois l'avoir vu passer dans le couloir avant le dîner. Un monsieur brun, mince, au visage marqué de rides ?

— Ce doit être lui, dit Georgia. Comment s'appelle-t-il ?

— J'essaierai de le découvrir demain, promit Nounou. Les valets me le diront. Il y en a un qui n'est pas aussi déplaisant que les autres, un jeune homme bien élevé, ma foi.

— C'est assez inattendu, commenta Georgia avec un sourire. Espérons qu'ils ne laisseront pas la maison dans un état aussi lamentable que la dernière fois.

— Il m'a fallu une semaine pour tout remettre en ordre, soupira Nounou. Sans Mrs. Ives qui est venue me donner un coup de main, j'aurais mis le double de temps.

— Nous n'avons pas les moyens de prendre une domestique, tu sais, lui rappela Georgia.

— Mrs. Ives ne demande pas de salaire, chérie. Je lui donne quelques légumes du jardin de temps à autre et quand je fais du bouillon de poule je lui en porte un pot pour son fils cadet. Mais il restera toujours fragile, j'en ai peur.

— Je me demande ce que le village ferait sans toi, chère Nounou, dit Georgia qui se pencha pour déposer un baiser sur la joue de sa nourrice.

— Et faites-moi le plaisir de dormir tout de suite,

ordonna celle-ci du ton grondeur que prennent depuis toujours les nourrices pour parler à leurs nourrissons.

— Je vais essayer, promit Georgia. Je n'oublie pas ce qui nous attend demain.

— Madame n'a pas le droit de vous demander ça. C'est trop précipité et trop dangereux. Oh, ce trafic de malheur cessera-t-il un jour ? Je pense parfois, Miss Georgia, que je ne vivrai pas assez longtemps pour vous voir rentrer saine et sauve. Quand vous êtes partie, j'ai l'impression que le souffle va me manquer.

— Nous n'y pouvons rien, répliqua Georgia.

— Mais je sais, et vous aussi, que Madame commence à réclamer de plus en plus de cargaisons. C'est nous qui devons fournir l'argent pour payer tous ces domestiques insolents et ces chevaux coûteux. Ne pouvez-vous lui expliquer à quel point c'est dangereux ? Elle doit bien savoir que, si vous vous faites prendre, il n'y aura plus de barils d'alcool et de ballots de marchandises, plus de tabac et de rubans à charger sur ses chevaux de bât. Sans vous, il y aura bientôt des trous dans sa bourse car le squire, le pauvre homme, n'a pas dû lui laisser assez pour dépenser sans compter.

— Je ne crois pas que ma belle-mère réfléchisse si loin, dit Georgia avec un petit soupir. Je crois qu'elle pense uniquement à obtenir ce qu'elle désire et que son amour de l'or est insatiable.

— Vous a-t-elle donné de quoi payer les hommes ?

demanda sa nourrice. Ils ne se mettront pas en route sans être payés... pas une seconde fois.

— Oui, je lui ai extirpé de l'argent avant le dîner. Heureusement, elle avait gagné aux cartes. Je lui ai fait ajouter une guinée supplémentaire par homme parce qu'ils emmènent un passager. Ils ne sont pas fous, ils savent aussi bien que moi que ces Français sont des suppôts de Bonaparte.

— Qu'en pense Mr. Raven ? questionna soudain Nounou.

— Il était scandalisé. Bien sûr, c'est une folie de mettre un étranger dans la confidence, mais j'y étais obligée. Nous ne pouvons pas partir avec un rameur en moins. Notre seule sauvegarde est de nous déplacer plus rapidement que les douaniers.

— Votre seule sauvegarde, ma chérie, c'est le fait que personne ne vous soupçonne, corrigea sa nourrice. Les Quatre-Vents ont toujours été au-dessus de tout reproche, car votre père — Dieu ait son âme — était respecté dans le pays.

— Pauvre papa, dit Georgia avec un soupir. Je me demande ce qu'il dirait s'il savait. Oh ! j'espère qu'il ne sait pas.

— Allez vous coucher, ma chérie, gronda sa nourrice. Il ne faut pas ruminer des idées pareilles à cette heure de la nuit. Allez dans votre chambre, je me lèverai pour fermer la porte à clef.

— Je la fermerai moi, répliqua Georgia.

Elle tourna la clef dans la serrure et tira aussi le verrou récemment posé à la porte.

— Maintenant, je me sens en sécurité, dit-elle.

Mais tant que cet homme n'aura pas quitté la maison, j'aurai peur.

— Dommage que Mr. Raven ne puisse pas mettre à la raison des gens comme lui, commenta Nounou. C'est un beau et brave jeune homme ! Demain, je lui donnerai une des chemises de Mr. Charles pour pouvoir laver celle qu'il porte pendant que vous serez partis.

— Ne te casse pas la tête pour ce Mr. Raven ! s'exclama Georgia. S'il ne s'était pas attiré une méchante histoire, il ne serait pas ici. Et si la situation est bien telle que tu le dis, il sera probablement content de recevoir sa part de guinées.

— Je ferais mieux de lui donner le chandail de pêcheur de Mr. Charles, reprit la vieille femme comme si elle n'avait pas entendu. Il ne peut pas aller ramer avec cette veste élégante qu'il porte maintenant. Vous savez, Miss Georgia, je suis heureuse qu'il vous accompagne ; j'ai l'impression qu'en cas d'ennuis vous pouvez compter sur ce Mr. Raven.

— Je ne compte sur personne, riposta sèchement Georgia. Tu sais ce que je pense des hommes, en particulier de ceux que tu appelles des seigneurs. Je ne compte que sur une chose — mon pistolet. Je n'ai pas plus confiance en Mr. Raven qu'en n'importe qui de son espèce.

En dépit de la flamme qu'elle mettait à ce discours, elle ne put retenir l'impression qu'elle diffamait gratuitement l'intéressé. Il s'était montré serviable en consentant à ramer et, tout en se répétant qu'il le faisait pour l'argent, elle savait qu'il avait eu réellement l'intention de s'en aller. Alors pourquoi avait-il changé d'avis ?

« Il n'aura qu'à partir dès notre retour », se dit-elle avec défi. Un léger frisson la parcourut : qui sait s'ils reviendraient, qui sait s'ils ne seraient pas arrêtés ?

D'après le ton de sa voix ou la fierté de son port de tête, personne ne se serait douté le lendemain soir que Georgia était rien moins que sûre d'elle en allant chercher le duc dans sa cachette pour le conduire à la cave.

Il avait passé une journée ennuyeuse étendu sur le lit à essayer de parcourir quelques-uns des vieux livres de la bibliothèque. Il n'était pas descendu dans l'escalier pour écouter aux portes dérobées ou regarder par le judas masqué dans le salon. Il était écœuré par les invités de Caroline et n'avait aucune envie de revoir cette dernière.

Le bref aperçu qu'il avait eu d'elle la veille au soir lui avait appris que si elle était encore belle ses traits étaient devenus plus vulgaires et son expression plus dure. Même sans entendre son entretien avec Georgia, il aurait compris que sa présence dans cette maison et ses fréquentations n'avaient rien à voir avec une conduite honnête. Il était maintenant suffisamment expérimenté pour reconnaître ce qu'était Caroline : une catin avide et avare.

Depuis qu'il était entré en possession de son héritage, il traitait les Caroline et ses pareilles avec une espèce de tolérance amusée. Sachant qu'elles le considéraient comme une poire bonne à cueillir, il ne risquait plus de se laisser prendre à leurs pièges. L'aventure avec Caroline avait été une rude leçon et il ne retomberait jamais dans une semblable erreur ; mais cela l'irritait de la savoir ici avec cette jeune femme candide, et l'idée qu'elle avait obligé une douzaine d'honnêtes paysans à transgresser la loi le révoltait.

Le duc était assez honnête pour se demander jusqu'à quel point sa colère contre Caroline ne dépendait pas du fait qu'il n'avait aucune envie de participer à l'aventure qui l'attendait. Il avait donné sa parole à Georgia et ne pouvait par conséquent se défiler, mais il reconnaissait en son for intérieur qu'il n'était pas enchanté par la perspective de parcourir en ramant les 22 milles marins (1) qui les séparaient de la France.

Toute autre considération mise à part, il craignait de ne pas en être capable. Il n'avait pas ramé depuis qu'il avait quitté le collège d'Oxford, mais il était content de se trouver dans une forme excellente car, ces derniers temps, il avait entrepris de dresser de jeunes chevaux pour les opposer à des bêtes plus expérimentées que possédait Pereguine.

— Quel affreux désordre ont laissé les invités de votre belle-mère, remarqua-t-il histoire de dire quelque chose en marchant à côté de Georgia dans la maison désertée.

On apercevait par les portes ouvertes les lits

(1) Environ 41 kilomètres.

défaits et des cuvettes pleines d'eau sale. Les parquets étaient maculés et la table de la salle à manger encore chargée de plats d'argent et d'assiettes.

— Il en est toujours ainsi, répondit Georgia.

Le duc abandonna le sujet. Il regarda avec curiosité la porte bien graissée de la cave tourner silencieusement sur ses gonds et s'engagea avec précaution sur les marches de pierre usées, éclairé par la lanterne que tenait Georgia.

— Les barils et les ballots sont encore là, dit-il machinalement.

— Je suppose qu'on viendra les chercher au cours de la nuit, répondit Georgia.

— Qui donc ?

— Je n'en sais rien, sinon qu'il s'appelle Philip, répliqua-t-elle. Ils sont sortis de la cave par une autre porte qui donne dans la cour de l'écurie. Personne de la maison ne les voit partir.

Elle avait parlé librement mais, soudain, elle s'interrompit et ses grands yeux levés vers lui l'examinèrent.

— Pourquoi cela vous intéresse-t-il ? questionna-t-elle. Oh, mon Dieu ! Si c'était un piège ! Vous en savez trop.

— Vous êtes nerveuse, sinon vous n'imagineriez pas de pareilles sottises. Je vous ai dit que je ne ferais rien pour vous nuire. Je vous l'ai promis.

— Oui, mais vous posez des questions, dit-elle d'une voix qui tremblait.

— Parce que je suis d'un naturel inquisiteur,

voilà tout. Vous en feriez autant à ma place. Imaginez donc un peu ce que vous penseriez si, partie à cheval dans les collines, vous aboutissiez dans une telle situation. Qu'en diriez-vous ? Ne voudriez-vous pas savoir de quoi il retourne ? Ne seriez-vous pas curieuse de connaître les gens à qui vous avez affaire ? D'autre part, les contrebandiers m'intéressent, ils m'ont toujours intéressé depuis mon enfance.

— Si vous en saviez autant que moi sur eux, vous cesseriez de les trouver intéressants, commenta-t-elle avec amertume. Je suis obligée de vous croire, je n'ai pas le choix, mais ne cherchez pas à en savoir trop. Vous avez juré d'oublier tout ce que vous avez vu ou entendu dès demain quand vous partirez.

— Bien, bien, patronne, j'obéis aux ordres, dit le duc avec un sourire. Vous auriez dû être un garçon. Vous avez une autorité d'adjudant.

Georgia eut un petit rire.

— Vous ne vous êtes pas demandé pourquoi j'avais été baptisée Georgia ? Je devais m'appeler George comme Sa Majesté et mes parents s'étaient si bien habitués avant ma naissance à parler de leur « Georgie » que leur seule concession à mon sexe a été d'ajouter un « a » à mon nom.

Le duc rejeta la tête en arrière et rit. Le bruit se réverbéra en échos fantastiques dans le long couloir conduisant à l'échelle branlante où ils se trouvaient.

— Chut ! s'écria Georgia. Les hommes vont trouver cela bizarre. Quand nous arriverons dans la grotte inférieure, laissez-moi passer devant : il faut que je leur explique pourquoi j'ai été obligée de vous prier de venir avec eux. Cela ne leur plaira pas.

Mais quelles qu'aient été les objections soulevées par la présence du duc, Georgia les surmonta. Quand il rejoignit l'équipage quelques instants plus tard, il fut accueilli sans mot dire ; il eut cependant l'impression que les hommes le regardaient d'un air froid et soupçonneux.

Le crépuscule touchait à sa fin. Quand ils eurent mis le bateau à l'eau et furent tous embarqués, le dernier reflet du couchant avait disparu de l'horizon et la première étoile scintillait au-dessus d'eux.

Le duc prit place à côté d'un homme à la carrure puissante qui, apprit-il, était le forgeron du village. Il empoigna à deux mains son aviron et se redressa en espérant qu'il ne se couvrirait pas de ridicule. Il constata avec surprise que le bateau semblait léger, bien équilibré sur l'eau, et avançait sans peine.

Il jeta un coup d'œil vers Georgia, assise à l'arrière, la main sur la barre, et se dit avec un sourire intérieur que personne ne songerait à la prendre pour une dame de qualité. Elle avait endossé les hautes bottes de pêcheur et la redingote démodée à larges basques qu'elle portait la première fois qu'il l'avait vue. Un foulard noir couvrait ses cheveux blonds. Elle n'avait certes rien fait en son honneur pour améliorer son apparence de « propre à rien » comme disait sa nourrice.

— Attention, tous ! dit Georgia avec autorité.

Réglez votre cadence sur Fred. En route, tâchons de battre notre propre record de traversée.

Quand ils se mirent à ramer avec application, le duc fut soulagé de constater que ce n'était pas aussi épuisant qu'il l'avait craint. Mais il se servait de muscles nouveaux et se dit que longtemps avant d'être de retour au port il serait perdu de courbatures.

La mer était presque plate ; ils avançaient à une allure rapide et ils atteignirent bientôt le milieu de la Manche. Ils ramaient en silence, à part de temps à autre un commandement de Georgia. Un des hommes se mit à siffler machinalement et reçut aussitôt l'ordre de se taire.

— Ne gaspillez pas votre souffle, Cobber ! D'ailleurs, on ne sait jamais qui peut nous entendre.

Les heures s'écoulèrent sans incident. Une fois, le duc aperçut à l'ouest dans le lointain un feu vert. Si c'était un navire, il ne tarda pas à disparaître et ils continuèrent à ramer. Trois heures et demie plus tard, Georgia annonça à mi-voix :

— Terre devant !

Elle paraissait bien connaître sa route. Ils abordèrent dans une petite anse ; les deux hommes assis à l'avant sautèrent sur le sable, stabilisèrent le bateau et le tirèrent sur la plage. Puis tous les autres débarquèrent, en pataugeant dans l'eau peu profonde. En les imitant, le duc se demanda avec un peu d'inquiétude ce que Pereguine dirait de cette immersion de sa meilleure paire de bottes dans l'eau de mer.

126

Les hommes restèrent près de la barque, mais Georgia s'éloigna dans l'obscurité.

— Que fait-on maintenant ? questionna le duc.

— Elle nous dit toujours d'attendre, répliqua un des hommes. S'il y a du danger et qu'elle ne peut pas revenir, on a ordre de repartir sans elle.

— Cela me paraît un manque total de chevalerie, répliqua le duc sèchement.

— Nous, on ne fait qu'obéir, bougonna l'autre.

— Je n'admets pas que des hommes s'abritent derrière une femme, rétorqua le duc d'un ton cinglant. — Et, sans se préoccuper des protestations que l'on murmurait derrière lui, il s'élança à la suite de Georgia.

La nuit n'était pas sombre. Il ne tarda pas à l'apercevoir et la rejoignit en quelques enjambées. Quand il arriva à sa hauteur, elle se tourna vers lui avec humeur :

— Qu'est-ce que vous faites ? J'ai donné l'ordre aux hommes de rester avec la barque.

— Ils sont assez nombreux pour la mettre à l'eau sans mon aide s'il le faut.

— Je ne tolérerai pas que vous vous insurgiez contre mes ordres, dit-elle sèchement. Je sais parfaitement ce que je fais.

— Je l'espère, parce que je viens avec vous et je n'ai aucun désir de tomber dans une embuscade bien montée.

— Il n'y a pas à craindre d'embuscade ici ! riposta Georgia. Retournez m'attendre là-bas.

— Je n'en ai pas la moindre intention, alors ne

perdons pas notre temps en pays ennemi. Où est le passager ?

Comme si elle comprenait que tout ce qu'elle dirait serait sans effet, Georgia poursuivit son chemin dans un silence manifestement rageur. Quelques pas les amenèrent au pied des falaises. Ils contournèrent des rochers et là, invisible du rivage ce qui était fort pratique, il y avait une grotte.

Georgia s'arrêta pour lancer un long sifflement étouffé. Presque aussitôt un pêcheur masquant une lanterne avec sa main apparut à l'entrée de la grotte.

— Vous êtes en avance, madame, dit-il dans un patois assez difficile à comprendre. Sinon, nous vous aurions attendue au bord de la mer.

— Nous avons été plus vite que d'habitude, répondit Georgia en excellent français. Tout est-il prêt ?

— Tout, madame. Il n'y a pas de marchandises, vous le savez, seulement monsieur qui est très nerveux.

— Dites-lui qu'il faut que nous partions tout de suite, ordonna Georgia.

Il disparut dans la grotte, d'où il ressortit bientôt. Un autre homme l'accompagnait, enveloppé dans un long manteau de voyage, le chapeau rabattu sur les yeux.

— *Bonsoir, monsieur* (1), dit Georgia.

Il faisait sombre et la lanterne n'éclairait guère,

(1) En français dans le texte.

mais le duc vit néanmoins la surprise se peindre sur le visage du Français au son d'une voix féminine.

— Une femme (1) ? demanda-t-il au pêcheur.

Il y eut un bref échange de paroles. Georgia expliqua au duc à voix assez basse pour ne pas être entendue :

— On ne dit jamais aux passagers que je suis une femme, sinon ils auraient trop peur d'embarquer.

A ce moment, le Français se tourna vers elle et lui baisa la main.

— *Enchanté, madame* (1), dit-il d'un ton laissant à penser tout le contraire.

— Venez vite, répliqua Georgia avec autorité. Nous ne pouvons pas nous attarder ici.

Le pêcheur à la lanterne guida le passager sur les galets et le sable.

Quand ils arrivèrent au bateau, Georgia dit au duc :

— Portez-le à bord. Il ne doit pas avoir de bottes.

Le duc s'exécuta avec un sourire. Le Français parut sur le point de protester, mais il n'avait visiblement pas envie de se mouiller les pieds. Le duc le déposa à l'arrière ; les rameurs amenèrent le bateau en eau plus profonde et le duc embarqua juste à temps pour éviter que les vagues s'engouffrent par-dessus le haut de ses bottes.

L'équipage adopta la même cadence de nage qu'à l'aller. Peut-être était-ce parce qu'ils étaient fatigués,

(1) En français dans le texte.

mais le duc eut l'impression qu'ils n'avançaient pas aussi vite. L'allure était néanmoins assez rapide et la mer était plate. Bien que l'air nocturne fût frisquet, aucun d'eux ne ressentait le froid, à l'exception du passager peut-être qui, serré dans son manteau, frissonnait de temps à autre. Mais cela pouvait aussi bien être un effet de la peur, songea le duc.

C'est alors que le jeune homme commença à se ressentir de l'effort imposé à des muscles restés inactifs depuis plus de huit ans. Il avait aussi des ampoules qui se formaient aux mains à force de tenir la rame. Il était honteux de sa faiblesse et c'était presque un soulagement pour lui d'entendre la respiration haletante de son robuste compagnon, le forgeron.

— Plus que vingt minutes et nous serons arrivés ! s'écria Georgia.

Sa voix réveilla le Français qui se redressa sur son banc et essaya de voir autour de lui.

— Il n'y en a plus pour longtemps, monsieur, lui dit Georgia en français pour lui faire prendre patience.

Il grommela quelque chose et le duc éprouva soudain l'envie de le jeter par-dessus bord. « Maudits espions », songea-t-il. « Ils se faufilent en Angleterre comme des serpents. »

Le bruit courait que si Bonaparte était renseigné sur la flotte britannique et les mouvements de troupes, il le devait à ces créatures qui s'insinuaient dans la confiance des gens ou même achetaient des renseignements aux lâches dont sont affligés tous les pays et qui sont prêts à trahir pour de l'argent.

La colère chassa sa fatigue et il s'appliqua à ramer avec plus d'efficacité. Il se creusait la tête pour trouver un moyen de dénoncer cet homme aux autorités sans compromettre Georgia et son équipage.

C'est alors qu'un cri jaillit de l'obscurité.

— Ohé, du canot ! Halte, au nom de Sa Majesté le roi George !

— Les douaniers ! — Georgia avait à peine chuchoté, mais tous l'entendirent. — Vite, plus vite !

Elle n'avait pas besoin de les stimuler. On aurait dit que l'équipage entier était électrisé, les avirons mordaient l'eau à un rythme fou, chacun ramait pour sa vie.

— Halte ! cria de nouveau la voix dans la nuit. — Il y eut un silence, puis : — Arrêtez ou nous tirons !

— Plus vite ! Plus vite ! Baissez la tête !

La barque filait sur l'eau à une vitesse incroyable. Une détonation retentit soudain et le duc sentit une balle siffler désagréablement près de son oreille.

— Baissez la tête ! dit-il d'une voix que les soldats qu'il avait commandés au Portugal connaissaient bien. Georgia, couchez-vous tout de suite au fond du bateau.

Elle obéit. D'autres coups de feu résonnèrent ; les balles sifflèrent par chance au-dessus de leurs têtes, mais néanmoins dangereusement près.

— Vite ! Vite ! — ce n'était plus un ordre mais une prière. — Vite ! Oh, mon Dieu, faites que nous leur échappions... faites que nous revenions chez nous.

Le Français se dressa soudain.

— *C'est dangereux* (1) ! s'écria-t-il à haute voix en agitant les bras comme si, terrorisé, il voulait sauter à l'eau.

— Assis, imbécile ! ordonna le duc, mais c'était trop tard. — Il y eut une nouvelle détonation, un cri et le Français s'affaissa contre Georgia qui essayait de le faire coucher à côté d'elle.

— Nagez ! Nagez ! cria le duc. Suivez ma cadence. Une, deux... une, deux...

Les hommes lui obéirent et, sous leur effort, la barque sembla voler. Il y eut de nouveaux coups de feu, cette fois sur leur gauche. Le duc leva les yeux. En approchant des falaises, ils étaient entrés dans un banc de brume. La vedette avait dû perdre leur piste, mais il ne laissa pas les rameurs se relâcher. « Une, deux... une, deux... » Ils emportaient le bateau dans une course de plus en plus rapide.

Georgia avait repris sa place à la barre. Le Français gisait recroquevillé au fond de l'embarcation.

— Stop ! dit-elle doucement. Puis elle ajouta d'une voix chevrotante : — Nous... nous y... sommes.

Elle donna un coup de barre, les hommes firent entrer le bateau dans la petite crique, sautèrent par-dessus bord et le tirèrent au sec. Le duc rentra son

(1) En français dans le texte.

aviron et, quand la coque s'immobilisa sur les galets, Georgia dit à son équipage :

— Retournez chez vous ! Oubliez ce que vous avez vu ce soir.

Le duc eut l'impression qu'ils disparaissaient avant même qu'elle eût fini de parler.

— Nous... nous devrions l'emporter dans... dans la grotte, reprit Georgia d'une voix tremblante.

— Je vais m'en occuper, répondit le duc. Allez chercher une lanterne.

Georgia sortit du bateau et le duc prit le Français dans ses bras. L'homme vivait encore, il s'en rendit compte à sa respiration saccadée en le portant sur les galets jusqu'à la grotte. Le duc avança lentement avec son fardeau dans le passage difficile qui exigeait de se courber avant d'atteindre l'endroit où la grotte s'élargissait. Georgia l'attendait, la lanterne à la main.

Il déposa le blessé sur le sol et vit aussitôt que la balle lui avait perforé la poitrine. Le sang avait trempé le manteau du Français et s'étendait rapidement sur l'habit de couleur claire qu'il portait dessous.

— Est-ce que c'est... c'est grave ? questionna Georgia, oppressée.

Avant que le duc ait pu répondre, l'homme prononça en français avec lenteur quelques mots d'une voix à peine audible.

— Dites à... à Jules. Dites à Jules de... tuer le prince, immédiatement... ordre de l'Emp... l'Empereur.

Du sang lui jaillit de la bouche et coula sur son menton. Ses mains eurent un mouvement convulsif, puis il s'immobilisa.

Le duc avait vu beaucoup d'hommes mourir. Il comprit que l'espion français était mort.

CHAPITRE VI

PENDANT UN MOMENT, LE DUC ET Georgia restèrent figés sur place à regarder le Français, puis Georgia balbutia d'une voix qui était tout au plus un chuchotement :

— Est-ce que... est-ce qu'il est mort ?

— Oui, confirma posément le duc.

Georgia poussa une exclamation étouffée et se cacha les yeux dans ses mains. Le duc se baissa pour fouiller les poches du mort. Il en sortit d'abord une grosse bourse pleine de guinées.

Le duc l'examina sombrement, puis la jeta aux pieds de Georgia.

— Partagez cela entre les hommes de l'équipage, dit-il. Ils l'ont bien gagné.

— Non, non ! protesta Georgia.

Il leva la tête et, à la lueur de la lanterne, il s'aperçut qu'elle avait l'air terrifiée.

— Il faut le leur donner, insista-t-il. C'est le dernier voyage qu'ils feront.

Sans mot dire, Georgia frissonna et se détourna. Quand il plongea la main dans la poche de poitrine de l'habit maintenant trempé de sang, il n'y trouva qu'une chose : une carte de visite qu'il approcha de la lanterne.

— *Comte Pierre Lamonté*, lut-il à haute voix. Je me demande si c'est la carte personnelle du mort ou le nom de quelqu'un avec qui il voulait entrer en contact ?

Georgia tenait toujours la tête détournée ; elle ne pouvait pas supporter la vision du visage ensanglanté aux yeux fixes.

— Est-ce le nom du passager que vous aviez amené lors de la précédente traversée ? questionna le duc.

Georgia secoua la tête.

— On ne m'a jamais dit son nom.

— Tout ce que nous savons, c'est que Jules — quel que soit ce personnage — doit tuer le prince, résuma le duc comme pour lui-même.

— Vous... vous êtes sûr que c'est ce qu'a dit le Français ? demanda Georgia.

— Vous l'avez entendu tout comme moi, répliqua sèchement le duc.

— Mais c'est impossible, il ne peut pas y avoir un complot pareil contre le prince de Galles !

— Rien n'est impossible, répliqua le duc, mais ce n'est pas le moment de discuter ou d'émettre des hypothèses. J'ai à faire. Allez m'attendre en haut de l'escalier, je ne serai pas long.

Tout en parlant, le duc avait soulevé le mort à bras-le-corps. Georgia se détourna en frissonnant.

Elle ne toucha pas à la lourde bourse qui gisait sur le sol à ses pieds et monta les marches donnant accès à la grotte supérieure. Là, elle s'assit par terre et enfouit son visage dans ses mains glacées.

Elle s'efforçait de ne plus penser à ce qui était arrivé mais, dans son cerveau en tumulte, se bousculaient les souvenirs : le sifflement terrifiant des balles qui passaient auprès d'eux dans la nuit, le cri affolé du Français et son visage à l'instant de sa mort, avec le sang qui jaillissait de sa bouche.

Pendant ce temps, le duc avait transporté le mort hors de la grotte. L'obscurité n'était déjà plus si dense, une faible lueur apparaissait à l'horizon. Il remplit de galets les poches du manteau du Français qu'il enroula serré autour de lui et porta le corps à l'extrême bord de l'eau. Comme il s'y attendait, la marée avait changé et un puissant courant de fond s'était établi sous les vagues qui se brisaient contre les rochers.

Eclaboussé par les embruns, le duc jeta son fardeau dans la mer. Il le vit tournoyer puis disparaître. Il attendit quelques minutes pour s'assurer que les vagues n'allaient pas rejeter le cadavre près de la crique mais sur les crêtes écumantes ne flottaient que quelques bouts d'espars et une mouette crevée.

Il rentra dans la grotte et, escaladant les marches, trouva Georgia toujours assise par terre.

— Vous avez oublié ceci, dit-il en montrant la bourse pleine qu'il tenait à la main.

— Je préférerais que nous ne prenions pas son argent, déclara-t-elle, horrifiée à l'idée de toucher quelque chose qui avait appartenu au mort.

— Ce n'est pas son argent, rectifia le duc, mais de bonnes guinées anglaises qui ont traversé la Manche pour financer Napoléon et que voilà revenues dans leur pays. C'est ainsi qu'il faut voir les choses.

— J'essaierai, murmura-t-elle faiblement.

Le duc lui jeta un coup d'œil perspicace.

— Je vous supposais trop de cran pour avoir des vapeurs, commenta-t-il d'un ton qui lui fit remonter le sang aux joues.

Elle redressa le menton avec fierté.

— Je ne vous ennuierai pas avec mes vapeurs ou mes crises de larmes, fit-elle avec colère en se relevant. Mais c'est la première fois que... je... vois un mort.

— Alors vous avez de la chance que ce soit un inconnu, rétorqua le duc avec une certaine dureté. S'il s'était agi d'hommes de votre équipage, vous auriez été obligée de consoler leurs femmes et leurs enfants.

Il constata que ce point de vue réaliste avait chassé son accès de faiblesse. Elle le précéda, lui laissant la lanterne à porter et ils pénétrèrent quelques secondes plus tard dans la cave.

Elle était vide. Toutes les marchandises de contrebande entreposées sur le sol dallé avaient disparu. Il n'y restait plus que quelques vieilles barriques ayant jadis contenu de la bière légère fabriquée à la maison.

— Elles sont parties ! s'exclama le duc machinalement.

— Elles ne séjournent jamais longtemps là, répliqua Georgia.

Sur une marche de l'escalier était posé un petit sac. Elle le ramassa et le duc questionna :

— C'est votre salaire ?

— C'est l'argent destiné à l'équipage.

Sans lui demander sa permission, le duc lui prit le sac et l'ouvrit. Il souleva la lanterne pour en examiner le contenu.

— On ne peut pas dire que ce soit généreux, commenta-t-il.

— Les hommes ne sont pas contents, dit Georgia, mais que peuvent-ils faire ? S'ils refusaient de partir, ils seraient réduits à la famine, car ma belle-mère ne veut pas les payer pour le travail qu'ils fournissent au domaine.

Le duc pinça les lèvres, mais se contenta de dire :

— Cette fois au moins, ils seront bien payés.

Tenant les deux bourses dans une main et la lanterne dans l'autre, il s'effaça pour laisser Georgia ouvrir la porte donnant dans la maison. Avant de tourner la clef qui était restée dans la serrure du côté de la cave, elle tendit l'oreille. Puis, après avoir déverrouillé la porte avec le moins de bruit possible, elle écouta de nouveau avant de pousser le battant.

Un calme absolu régnait. Le duc devina qu'il devait être environ cinq heures du matin, car l'aube blanchissait maintenant les vitres. Il suivit en silence Georgia jusqu'à la petite pièce où elle l'avait conduit à son arrivée. Il posa la lanterne et l'or sur la table et regarda Georgia enlever le foulard noir qui lui couvrait les cheveux. D'un seul geste, la virago redevenait une femme déguisée en homme.

Georgia posa le foulard sur la table et dit d'un ton las :

— Je vais vous préparer quelque chose à manger, vous devez avoir faim.

— Il est plus important de discuter ce que nous allons faire, répliqua le duc.

— Nous ne pouvons rien faire.

— Vous avez entendu ce qu'a dit le Français.

— Il avait peut-être le délire et, de toute façon, comment trouverions-nous ce Jules ? Nous ne savons même pas qui c'est.

— Il n'y a qu'une personne qui peut le trouver, dit le duc.

— Qui donc ? demanda-t-elle innocemment.

— Vous. Vous l'avez vu, vous l'avez amené sur cette côte.

Georgia considéra le duc avec une expression de panique qui grandit au fur et à mesure qu'elle assimilait ce qu'il venait de dire.

— Mais comment m'y prendrais-je pour le trouver ? protesta-t-elle.

— C'est ce que nous devons décider, répliqua le duc. Ecoutez, Georgia, cet homme n'est pas seulement un espion, il a reçu l'ordre d'assassiner le prince de Galles.

— Nous n'en sommes pas sûrs. Et, s'il le tue, quelles conséquences cela aurait-il ?

— Bonaparte voudrait créer le chaos en Angleterre, expliqua le duc. Personne n'ignore que le roi est fou. Il y a un certain temps qu'il est question de nommer régent le prince de Galles. Si l'héritier du trône, c'est-à-dire le chef virtuel du pays, était assassiné, les répercussions risqueraient d'être considérables et peut-être même désastreuses dans l'armée. Ce serait en tout cas un atout en faveur de Bonaparte.

— Mais Jules attendra que cet autre Français — celui qui est mort — lui apporte l'ordre d'agir.

— Bien raisonné, convint le duc avec un brusque sourire, à ceci près que...

— Que quoi ? s'enquit Georgia.

— Le mort a dit *immédiatement*. A mon avis, cela signifie que Jules a déjà reçu l'ordre de tuer le prince mais sans délai précis d'exécution. Maintenant Bonaparte, avec son impétuosité habituelle, demande que l'on passe à l'action.

— Mais, même si vous avez raison, que pouvons-nous faire ? dit Georgia. Ce Jules a traversé la Manche il y a près de trois semaines. Il doit être à Londres et c'est vaste, Londres.

— Nous savons où le trouver, répliqua le duc. Il sera le plus près possible du prince.

— Je suppose que oui, acquiesça Georgia d'un air dubitatif.

Son regard croisa celui du duc et il lut la supplica
tion dans ses yeux. Il savait que pour être muette sa
prière n'en était pas moins ardente.

— Non, Georgia, il faut que nous mettions la
main sur cet assassin et vous êtes la seule à connaître
son visage.

— Mais je ne peux pas me rendre à Londres,
protesta-t-elle, et même si j'y allais quelle chance ai-
je de rencontrer les gens de l'entourage du prince ou
même ceux qui appartiennent à la haute société ?
C'est vous qui devez avertir le prince. Il faut que
vous disiez à ceux qui l'approchent de se tenir sur
leurs gardes.

— Contre qui ? objecta le duc. Je n'ai pas vu cet
homme, comment le décrirais-je ?

— Il était mince, brun, dit vivement Georgia. Il
avait bien la quarantaine, j'imagine. Son visage avait
des rides...

Sa voix se brisa et elle se tut.

— Cette description conviendrait à des quantités
de gens, répliqua le duc, mais si vous le revoyiez vous
le reconnaîtriez, n'est-ce pas ?

— Oui, oui, je le pense. Une fois le bateau tiré
sur la plage, il craignait de se mouiller les pieds ;
alors il m'a pris le bras et j'ai tenu la lanterne en
l'air pour qu'il puisse sauter de pierre en pierre.
Quand nous sommes arrivés à bon port, il m'a
remerciée et machinalement j'ai levé la lanterne de
telle sorte qu'elle lui a éclairé la figure. Il est parti
ensuite vers le fond de la crique. Je suppose que
quelqu'un l'attendait.

— Vous devez l'identifier.

Le ton du duc était ferme.

— Je n'ai pas de moyen de transport pour aller à Londres et même si je faisais le voyage il y a un million de chances contre une que je ne le rencontrerais pas.

— Les chances sont plus égales que cela. Nous partirons dès que vous serez prête, déclara le duc. Allez vous changer. Pendant ce temps, je dirai à Ned de seller les chevaux.

Il y eut un instant de silence, puis il sentit deux petites mains lui agripper le bras. Le visage de Georgia était levé vers le sien.

— Non, non, je vous en prie, ne m'obligez pas à cela, supplia-t-elle. Il ne peut rien sortir de bon de cette folle expédition et si ma belle-mère en entend parler elle sera furieuse contre moi.

— Nous nous occuperons plus tard de votre belle-mère. L'urgent est de sauver la vie du prince de Galles. Le reste n'a que peu d'importance. Faites ce que je vous dis. Allez vous habiller mais, auparavant, nous réveillerons Nounou pour lui demander de nous préparer quelque chose à manger. Elle ne voudra pas que nous tombions d'inanition au bord de la route.

Georgia se détourna. Il comprit qu'elle lui en voulait de la harceler de cette façon, mais pourchasser l'espion était la seule conduite à tenir en l'occurrence. Il sortit la carte qu'il avait trouvée dans la poche du Français et relut le nom.

Comte Pierre Lamonté.

Il retourna la carte. Quelques mots d'une écriture anguleuse avaient été tracés au dos en français. Le duc traduisit à haute voix :

« Voilà votre homme. »

Il remit la carte dans sa poche, se rendit d'un pas vif aux écuries et réveilla Ned qui couchait dans le grenier. Il lui demanda de seller son cheval et un autre pour Georgia, puis retourna à la maison. Quand il entra par la porte de la cuisine, une odeur de jambon en train de frire montait déjà du fourneau.

— Georgia vous a-t-elle dit que nous partions pour Londres, Nounou ? questionna-t-il.

Elle fit brusquement demi-tour, le visage crispé par l'inquiétude.

— Si vous touchez à un cheveu de cette petite...

Les mots moururent sur ses lèvres quand elle vit l'expression du jeune homme.

— Il n'arrivera aucun mal à Georgia, déclara-t-il d'une voix calme. Elle vous a raconté ce qui s'est passé la nuit dernière ?

La vieille femme hocha la tête.

— Il faut que nous sauvions le prince.

— Je savais bien qu'il ne sortirait que du malheur de ces expéditions maudites ! s'écria la nourrice. C'est Madame qui l'a poussée à ça et qu'est-ce qu'elle pouvait faire, la pauvre petite, sinon obéir ? Il n'y a eu que des soucis et du chagrin dans cette maison depuis que le squire est revenu ici avec cette femme qu'il avait épousée.

— Je le crois volontiers, dit le duc, mais si c'est possible Georgia doit essayer de réparer le mal qui a été fait.

— Elle ne saura pas se diriger dans Londres, objecta Nounou, et elle n'a pas les toilettes qu'il faut pour fréquenter les gens de la haute société.

— On s'en occupera, répliqua le duc. Dès que Georgia aura identifié cet homme, je vous la ramènerai.

— Et si Madame l'apprend ? questionna Nounou dont la voix s'était mise à trembler.

— Je doute qu'elle revienne avant plusieurs jours. Si elle revenait, vous n'auriez qu'à raconter que Georgia est malade, mais en aucun cas ne lui dites où nous sommes allés.

— Je sais garder un secret, répliqua Nounou. Il n'y en a eu que trop ici. Mais rappelez-vous, monsieur, que, même si elle a dû enfreindre la loi et faire des choses qu'aucune demoiselle respectable ne devrait faire, Miss Georgia est aussi innocente que l'enfant qui vient de naître.

— Ne vous tracassez pas, je veillerai sur elle.

— Qu'est-ce qui me dit que je peux vous faire confiance ? protesta Nounou.

— Je pense que vous savez bien au fond de vous-même que l'on peut se fier à moi, rétorqua tranquillement le duc.

Les yeux de la vieille femme le dévisagèrent, puis comme si elle était satisfaite de ce qu'elle voyait elle se remit à sa cuisine.

— Vous trouverez une cruche d'eau chaude, une

chemise et une cravate propres derrière l'entrée dérobée, reprit-elle. Vous auriez pu vous installer dans une chambre, monsieur, maintenant que la maison est vide, mais je savais que votre veste était restée là-haut.

— Merci, Nounou, dit le duc.

Il sortit d'un pas pressé pour aller se laver, se raser et se préparer au voyage.

Quand il revint à la cuisine, il trouva Nounou en train de supplier Georgia de manger un solide petit déjeuner. Elle était vêtue d'un costume d'amazone en velours vert passé de mode.

— Faites ce qu'on vous dit, s'exclama le duc en voyant qu'elle s'exécutait du bout des dents. Il faut de la résistance pour accomplir ce voyage et je ne tiens pas à ce que vous tombiez de cheval parce que vous avez l'estomac vide.

— Vous ne me verrez pas tomber de cheval, riposta Georgia fièrement.

A l'éclair qui luisait dans ses yeux, le duc comprit qu'elle était furieuse contre lui.

Quand ils se mirent en route, un quart d'heure plus tard, les premiers paysans arrivaient aux champs. L'air était vif, le soleil brillait et, quand ils s'éloignèrent au petit galop dans l'avenue, le duc ne put s'empêcher de penser que le domaine des Quatre-Vents était vraiment magnifique. Il jeta un coup d'œil à Georgia et vit qu'elle était pâle. Il devina que l'effort de quitter son foyer et tout ce qui lui était familier représentait une épreuve plus pénible qu'elle ne voulait l'avouer.

Ils évitèrent le village, qui s'appelait lui dit-elle Little Chadbury, et se retrouvèrent bientôt en pleine campagne, chevauchant en direction du nord à travers les prés verts.

Georgia était une excellente cavalière, sans aucun doute, et bien que son cheval ne fût pas comparable à l'étalon plein de feu du jeune homme ils avancèrent à bonne allure pendant les premières heures de la matinée.

Le duc avait décidé d'éviter les grandes routes et les relais de diligence où ils risquaient de rencontrer des voyageurs qui le reconnaîtraient. Il découvrit une petite auberge de village où ils déjeunèrent très convenablement d'une tranche de jambon et d'un gros morceau de fromage.

Ils étaient installés au soleil devant l'auberge, sur une table de bois rustique. Quand ils eurent fini de manger, le duc demanda :

— Etes-vous disposée maintenant à m'expliquer quelle prise votre belle-mère a sur vous ?

Georgia qui avait recouvré sa bonne humeur et bavardé jusque-là très gaiement se tut soudain et il la vit frissonner.

— Je ne peux pas en parler. Ce n'est pas mon secret.

— N'empêche que vous devez me le confier, répliqua le duc, car après ce qui est arrivé je n'ai pas l'intention de vous laisser reprendre vos transports de contrebande.

— Vous dites des bêtises, riposta Georgia. Ce que je ferai à l'avenir ne vous concerne pas.

— Etant donné les événements, j'estime que si, affirma le duc. D'ailleurs, c'est le Français qui a été tué mais ne comprenez-vous pas que ç'aurait pu être vous ou un de vos tenanciers ?

— Nous avons eu de la chance jusqu'ici, dit Georgia avec entêtement.

— La chance ne dure pas toujours. De plus, croyez-vous que votre belle-mère va se contenter de ce qu'elle reçoit maintenant ? Elle en voudra toujours davantage.

Georgia joignit les mains.

— C'est vrai, admit-elle. Les traversées sont devenues de plus en plus fréquentes, mais je ne peux pas me soustraire à ses ordres.

— Pourquoi donc ? s'enquit le duc.

— Je ne peux pas vous le dire.

— Et si je vous dénonçais ? déclara le duc d'une voix lente.

— Vous ne feriez pas ça. Vous ne pourriez pas faire quelque chose d'aussi mesquin, d'aussi lâche. D'autre part, vous êtes impliqué dans l'affaire, alors vous seriez arrêté aussi.

Le duc éclata de rire.

— Quand vous vous y mettez, vous êtes une vraie tigresse. Vous avez raison : je ne vous dénoncerai pas, mais je vais voir votre belle-mère et lui dire que cela doit cesser.

— Vous parleriez à Sa Seigneurie ? s'exclama Georgia d'un ton incrédule. Croyez-vous vraiment qu'elle en tiendrait compte ? D'ailleurs, quoi que vous disiez, cela ne l'empêchera pas de me contraindre à faire ce qu'elle veut.

— Pourquoi ? Quelle emprise a-t-elle sur vous ?

La question fusa comme un coup de pistolet.

— Je ne peux pas vous le dire, répéta Georgia presque piteusement. J'ai donné ma parole à Charles...

Le nom lui avait échappé.

— Alors laissez-moi deviner. C'est Charles qui est compromis dans cette affaire. Votre belle-mère a connaissance de quelque chose qu'elle peut utiliser contre lui. Ne serait-ce pas Charles qui a été surpris le premier à transporter des marchandises en fraude de ce côté de la Manche ?

Georgia le regarda en blêmissant.

— Quelqu'un vous a raconté, murmura-t-elle, car je ne vous ai jamais rien dit qui puisse...

— Personne ne m'a rien dit, rétorqua posément le duc. Il est évident, bien sûr, que Charles est la personne que vous essayez de protéger, car il serait chassé de la Marine si l'on savait qu'il a participé à un acte répréhensible et délictueux.

— Ce n'était qu'une espièglerie de gamin, expliqua Georgia. Il n'a jamais pensé qu'il agissait mal. Nos tenanciers étaient mécontents ; tout le long de la côte, les fermiers et les paysans faisaient de la contrebande et gagnaient plus en une soirée qu'en un an de travail honnête. Charles se trouvait chez nous en permission pendant que son navire était en radoub à Portsmouth. Il a pensé que ce serait amusant de voir ce qu'ils pourraient ramener en fraude. Alors il a traversé la Manche avec nos hommes.

— Sans être inquiétés ? s'exclama le duc. Quelle chance invraisemblable !

— Ils ont rapporté une cargaison que Charles réussit à vendre cent livres à un ami, poursuivit Georgia. Cent livres, vous vous rendez compte ?

— Un beau tas de pièces d'or, fit le duc avec un sourire.

— Pour Charles et nos tenanciers, cela représentait une fortune. Mon père venait de mourir. Nous avions découvert qu'il était gravement endetté parce que ma belle-mère avait usé et abusé de son crédit.

— Cela ne m'étonne pas, commenta le duc à mi-voix.

Sans relever l'interruption, Georgia continua :

— Cet argent nous a donné l'impression d'être riches. Charles décida de recommencer afin de me laisser assez d'argent pour exploiter le domaine pendant son absence.

Georgia se tut un instant et le duc vit son regard s'assombrir à l'évocation de ces souvenirs.

— Que s'est-il passé ? questionna-t-il doucement.

— Ils sont revenus sans encombre. Ma belle-mère se trouvait à la maison et, quand Charles remonta de la cave après avoir aidé à y entreposer les marchandises, elle l'attendait.

— Comment avait-elle découvert la chose ?

— Je ne l'ai jamais su. Je suppose qu'elle avait un faible pour Charles, il est si beau garçon.

« Caroline a un faible pour n'importe quel homme jeune et séduisant », songea-t-il avec rage.

— Continuez, dit-il à haute voix.

— Elle... elle a feint de considérer cela comme un bon tour, reprit Georgia. Elle a proposé à Charles de goûter au cognac qu'il avait rapporté de France et ils se sont mis à boire ensemble. Une fois Charles ivre, tellement ivre qu'il ne savait plus ce qu'il faisait, elle... elle lui a fait signer une confession.

Il y eut un petit silence et Georgia détourna la tête pour que le duc ne la vît pas pleurer.

— Il ne savait plus ce qu'il faisait, répéta-t-elle d'une voix qui se brisa. Il croyait qu'elle l'aimait et se montrait... bonne et compréhensive.

Le duc posa sa main sur celle de Georgia. Pendant un instant, les doigts de la jeune femme frémirent sous les siens. Puis elle tourna vers lui son visage sillonné de larmes :

— Maintenant, vous savez la vérité. Vous comprenez pourquoi je dois obéir à ma belle-mère. Si je refuse, si je me dérobe, elle transmettra la confession de Charles à l'Amirauté. Il serait ruiné et déshonoré.

— Je reconnais que c'est une situation épouvantable, dit le duc, mais je reste persuadé, Georgia, que l'on peut y remédier. Ne désespérez pas.

— J'ai passé bien des nuits blanches à prier pour trouver une solution, reprit Georgia. Mais vous ne connaissez pas ma belle-mère ; elle n'est pas seulement avide, elle est vindicative. Je n'osais pas le dire jusqu'à présent, mais je crois qu'elle déteste Charles parce qu'il n'est pas tombé sous son charme. Je crois qu'elle serait contente de lui nuire. Je suis persuadée qu'elle ne le dénonce pas uniquement à cause de l'or que nos tenanciers lui rapportent.

Le duc savait que les suppositions de Georgia n'étaient pas éloignées de la vérité. Seul l'argent était capable d'empêcher Caroline de tirer vengeance d'un jeune homme qui dédaignait ses avances. Il comprenait parfaitement qu'un garçon honnête et propre comme Charles ait été horrifié à l'idée d'avoir une intrigue avec sa propre belle-mère, mais ces scrupules-là n'étouffaient pas Caroline et si l'argent ne lui avait pas été nécessaire, elle l'aurait sans doute dénoncé depuis belle lurette.

— Vous êtes dans un affreux guêpier, c'est certain, dit le duc qui ajouta en souriant : — Mais ne désespérez pas. C'est toujours avant l'aube que la nuit est la plus sombre, à ce qu'on dit. Franchissons les obstacles l'un après l'autre. Nous nous retrouverons peut-être en terrain plat bien plus vite que vous ne l'escomptez.

Elle lui adressa un faible sourire tremblant. Elle comprenait qu'il essayait de la réconforter, mais elle avait la conviction désolante que rien ne pourrait alléger le fardeau de tristesse qu'elle portait depuis si longtemps.

Elle pensa en le regardant, assis en face d'elle de l'autre côté de la table de bois rustique, qu'il avait vraiment belle allure dans sa veste bien coupée avec sa cravate impeccable. Elle avait conscience que son propre costume était râpé, fané et passablement démodé. Elle enfonça un peu plus fermement son chapeau sur sa tête et songea avec défi : « Quelle importance ? Quand ce sera fini, il disparaîtra et je retournerai aux Quatre-Vents. »

— Nous ferions bien de nous remettre en route, observa le duc.

Leurs chevaux avaient été pansés et abreuvés ; ils repartirent en évitant les routes fréquentées. Il était près de quatre heures de l'après-midi quand ils firent une nouvelle halte. La pleine campagne cédait maintenant la place à des hameaux prospères et même les petites routes étaient encombrées de coches, de voitures et ce qui parut à Georgia un nombre extraordinaire d'élégants phaétons, filant à un train d'enfer.

Ils dénichèrent une autre petite auberge villageoise sans prétention et pendant que le duc dévorait du rosbif froid, Georgia grignota du bout des dents des côtelettes d'agneau. Elle renonça soudain à faire semblant de manger pour dire d'une voix suppliante :

— Je ne peux pas continuer. Je vous en prie, laissez-moi rentrer chez moi. Je sais que ce voyage à Londres ne servira de rien. Je vous serai inutile et vous serez furieux de ma stupidité. Plus je pense à l'homme que j'ai ramené de France, moins je crois possible de me remémorer son visage.

— C'est simplement de la nervosité, assura le duc. Quand vous le verrez, vous le reconnaîtrez aussitôt... je vous l'affirme.

— Je n'ai aucune envie d'aller à Londres, reprit

153

Georgia à voix basse. Oh ! je me doute bien que vous devez me juger sotte de parler ainsi, mais je vous ai déjà expliqué ma répugnance à frayer avec la haute société et les soi-disant gens du monde.

— Mais ils ne ressemblent aucunement à la racaille que votre belle-mère admet dans son entourage, répondit le duc. J'ai des amis qui vous plairont et moi... je ne vous suis pas antipathique, je pense ?

— Vous paraissez différent, convint Georgia, mais je ne vous connais pas bien. Nous sommes seuls. Aucune jeune femme bien élevée ne devrait voyager seule avec un homme, vous le savez comme moi.

— Notre cas est tout autre. Nous ne sommes pas un couple ordinaire ou, comme vous dites, une jeune femme bien élevée et un gentilhomme voyageant ensemble pour leur plaisir. Nous sommes des instruments de guerre ! Voilà comment vous devez vous considérer, Georgia, comme une arme pour lutter contre Bonaparte.

Il la vit redresser la tête.

— Je suis désolée de me montrer si pusillanime. Pardonnez-moi.

— C'est facile, répliqua le duc. Je vous préfère quand vous n'êtes pas trop agressive. Je vous assure, Georgia, que la première fois que je vous ai aperçue vous m'avez terrorisé. « Une Amazone ! » me suis-je dit et jusqu'à présent je n'ai eu aucune raison de modifier cette impression.

Elle rit.

— Je voudrais bien me croire une Amazone.

— Savez-vous ce que j'ai encore pensé ? reprit le duc.

— Non, quoi donc ?

— J'étais navré pour votre mari. A propos, lui ne se convaincrait peut-être pas aussi facilement que vous êtes une arme de guerre en ce moment.

Il fut amusé de la voir rougir.

— Je ne tiens pas à parler de mon mari, dit-elle d'un ton contraint.

— Moi non plus, répliqua le duc, mais ce qu'il y a de bien c'est qu'une femme mariée, pour autant que son mari ne s'y oppose pas, peut se permettre de faire des choses beaucoup plus scandaleuses qu'une jeune fille.

— Quel genre de choses scandaleuses ? s'enquit Georgia.

— De voyager seule dans la campagne avec un autre homme par exemple, dit-il pour la taquiner, et puisque vous êtes mariée rien ne vous empêche d'écouter des compliments et même de flirter un peu si cela vous amuse.

— Ce sont des divertissements pour gens du monde et je n'en ai aucune envie, riposta-t-elle avec emportement.

Le duc rit.

— Vous voilà redevenue Amazone et je suis tout confus.

— Vous dites des bêtises, s'écria-t-elle en se levant. Venez, partons pour Londres.

Le crépuscule tombait quand le duc arrêta les chevaux dans Half Moon Street.

— Voulez-vous attendre ici, demanda-t-il, pendant que je vais voir un de mes amis ?

— Vous ne serez pas long ? supplia Georgia d'une voix curieusement enfantine.

Il comprit que les rues animées, les maisons imposantes, les passants élégants et les regards intéressés que lui avaient décochés certains hommes commençaient à ébranler son courage.

Il appela un gamin qui flânait contre la grille et lui enjoignit de tenir son cheval.

— Veille sur cette dame, ajouta-t-il en donnant au garçon une pièce qui lui fit ouvrir de grands yeux. Et si quelqu'un l'importune, viens me chercher. Je serai dans la maison d'en face.

Sans attendre de réponse, il traversa la rue d'un pas souple et frappa à la porte avec le joli marteau d'argent. Elle fut ouverte presque aussitôt par un valet.

— Le capitaine Carrington est-il là ? s'enquit le duc.

— Il est en haut, monsieur, répondit l'autre.

Le duc gravit l'escalier quatre à quatre et fit irruption dans le salon où il trouva Pereguine paressant sur un divan, un verre de cognac à la main.

— Par Jupiter, Trydon, je ne t'attendais pas ! s'exclama-t-il quand le duc entra. Il ajouta d'un ton horrifié : — Que diable as-tu fait à ma veste ?

— Je t'en achèterai une autre, répondit machinalement le duc. Ecoute, Pereguine. J'ai besoin de ton aide.

— Il ne manquerait plus que ça ! s'écria-t-il. Et

mes bottes ! Franchement, Trydon, tu as l'air d'un brigand. Qu'est-ce que tu as bien pu fabriquer ?

— C'est une longue histoire.

— Avant que tu commences, coupa Pereguine, il faut que je te dise quels mauvais moments j'ai passés. L'enfer s'est déchaîné quand ton absence a été découverte. Ta marraine n'a pas été satisfaite du tout de mon explication ; quant à la petite Dalguish, elle errait comme une âme en peine.

— Oui, oui, dit le duc avec impatience. Tu m'expliqueras cela un autre jour. Ecoute, Pereguine, j'ai une femme avec moi dehors...

— Une femme ! Mais je croyais que tu avais renoncé à tout jamais aux femmes !

— Ce n'est pas une femme. Ou plutôt pas tout à fait. C'est une contrebandière.

— Une contrebandière ? Tu as perdu la tête ?

— Pour l'amour du Ciel, cesse de m'interrompre, ordonna le duc, et laisse-moi te raconter l'histoire. Et pendant que je m'efforce de le faire, aie donc l'obligeance de me donner un verre de cognac, car j'ai la gorge sèche comme un palis.

— Tout ce que je peux dire, c'est que je ne te prêterai plus jamais rien, grommela Pereguine en versant le cognac. Jason aura une attaque quand il verra ces bottes.

— Cesse donc de parler toilette. C'est une affaire importante, Pereguine, cela concerne l'Angleterre.

Il fut heureux de voir que ses paroles portaient. Pereguine avait l'air grave quand le duc s'assit et exposa les faits. Il termina en précisant que Georgia ignorait son identité. Pereguine ouvrait des yeux ronds.

— Je n'ai jamais rien entendu de pareil ! s'exclama-t-il. Si je ne savais pas que tu es la sobriété même, Trydon, je me dirais que tu as passé ces dernières quarante-huit heures à bambocher.

— C'est vrai, de A jusqu'à Z, affirma le duc. Maintenant, qu'allons-nous faire au sujet de Georgia ? En premier lieu, elle doit être habillée convenablement si nous voulons l'emmener à Carlton House. C'est l'endroit, tu en conviendras, où nous avons le plus de chance de trouver cet assassin.

— Est-elle présentable ? questionna Pereguine.

— Elle n'aurait pas mauvais air si elle avait une robe seyante, répliqua le duc. Vois-tu, Pereguine, notre seule possibilité de mettre la main sur cet homme est d'abord de découvrir son identité, puis de le surveiller.

— Et cette femme, cette contrebandière, est la seule personne qui sache comment il est, résuma posément Pereguine.

— La promptitude de ta compréhension est vraiment remarquable, riposta le duc d'un ton sarcastique.

— Alors, parfait, reprit Pereguine, il n'y a qu'une personne à qui nous puissions la confier.

— Qui donc ?

— Ma grand-mère.

Le duc le considéra d'un air incrédule.

— Ta grand-mère ? Tu parles de la douairière ?

— S'il y a une vieille dame qui soit à la hauteur,

c'est bien elle, dit Pereguine. Elle était on ne peut plus lancée dans sa jeunesse. Elle a causé des scandales innombrables et c'est la seule femme qui ait jamais conduit un attelage à six dans Hyde Park. Qui plus est, j'ai l'impression qu'elle sera ravie de tremper dans une histoire comme celle-ci.

— Si tu crois que c'est vraiment la meilleure solution...

Le duc s'interrompit : la porte venait de s'ouvrir et Georgia entrait.

— J'étais gênée d'attendre dehors, dit-elle un peu plaintivement. Les gens me regardent. Alors, j'ai eu l'idée de venir vous retrouver.

— J'allais justement partir, répliqua le duc. Permettez-moi de vous présenter mon ami le capitaine Pereguine Carrington... Mrs. Baillie.

Tout en parlant, il fut amusé de voir son ami qui considérait Georgia avec une certaine surprise.

— C'est ça ta contrebandière ? chuchota-t-il en aparté au duc. Je croyais t'avoir entendu dire qu'il s'agissait d'une robuste Amazone.

— J'ai bien parlé d'une Amazone mais pas taillée en Hercule, rectifia le duc. Georgia, j'ai raconté notre histoire à Pereguine. Il accepte de nous aider.

— J'en suis contente, répondit Georgia, parce que je suis fatiguée. J'ai bien protesté que je ne tombais jamais de cheval, mais je crois que c'est ce qui arriverait si je devais aller plus loin.

— Oh, asseyez-vous donc, lui dit Pereguine. Vous savez que vous ne devriez pas être ici. Pas dans l'appartement d'un homme, cela ne se fait pas, n'est-ce pas.

— Cela ne se fait pas par qui ? questionna Georgia avec une nuance de taquinerie dans la voix. Par les dames de bonne famille ou par les contrebandières et les Amazones ?

— Par les femmes, répliqua gravement Pereguine.

Georgia eut un petit rire las.

— La femme en question est une exception, sans aucun doute, dit-elle.

CHAPITRE VII

G EORGIA SE LAISSA TOMBER SUR UN
divan et accepta avec reconnaissance le verre
de vin que Pereguine lui apporta. Elle devinait que les deux jeunes gens étaient embarrassés et
comme cela l'intimidait elle demanda nerveusement :

— Ai-je commis un impair ? Auriez-vous préféré
que je reste dehors avec les chevaux ?

Pereguine jeta un coup d'œil au duc qui déclara
posément :

— Cela n'a aucune importance sinon qu'il est
considéré comme contraire aux usages qu'une dame
aille dans l'appartement d'un homme.

— Mais je suis mariée, objecta Georgia pour sa
défense.

Le duc sourit.

— Cela ne rend pas votre présence plus accep-
table pour ceux qui édictent les règles du protocole,
j'en ai peur.

Georgia rougit.

— Peut-être vaudrait-il mieux que je m'en aille tout de suite, fit-elle en esquissant un mouvement pour se lever.

— Non ! Non ! protesta précipitamment le duc. Le mal est fait, si mal il y a, et nous avons beaucoup de choses à discuter. Mon ami le capitaine Carrington a résolu un de nos problèmes en proposant de vous conduire chez sa grand-mère, la douairière Lady Carrington.

Les deux jeunes gens virent la consternation se peindre sur le visage de Georgia, puis elle balbutia :

— N... non... non. Je ne peux pas imposer ma présence à quelqu'un que je ne connais pas.

— Malheureusement, nous n'avons pas le choix si nous voulons mettre notre plan à exécution, insista le duc. Ce n'est pas pour longtemps, seulement jusqu'à ce que nous découvrions le Français à qui vous avez fait franchir la Manche. Si vous n'êtes pas sous le patronage de quelqu'un du *beau monde* (1), il ne nous sera pas possible d'obtenir une invitation pour vous à Carlton House.

— Je comprends, murmura Georgia.

Elle baissa la tête et son chapeau de velours poussiéreux masqua son anxiété.

Pereguine rompit le silence gênant qui s'était établi en disant :

— Voulez-vous me permettre de vous laisser quelques instants ? Je dois écrire une lettre d'excuses à la dame chez qui je devais dîner dans une heure.

(1) En français dans le texte.

162

J'enverrai mon valet la porter et nous irons ensuite chez ma grand-mère.

Il sortit de la pièce, suivi par le duc. Ils avaient laissé la porte entrouverte et Georgia entendit ce dernier dire :

— Demande d'abord à ton valet de conduire nos chevaux dans mes écuries et de faire envoyer ici immédiatement une voiture.

Qu'il possédât des écuries était un signe de richesse et Georgia songea avec soulagement que ses difficultés, quelle que fût leur nature, ne devaient pas être d'ordre financier. Elle en était heureuse parce que, trop consciente elle-même des désagréments que cause le manque d'argent, elle avait craint d'entraîner Mr. Raven à des dépenses qu'il pourrait difficilement supporter. Il avait payé les repas qu'ils avaient pris en venant à Londres et, au relais, elle l'avait entendu exiger que les meilleurs palefreniers s'occupent des chevaux ; elle avait vu aussi changer de main les guinées qu'il sortait de sa bourse.

Elle s'était avisée avec gêne qu'elle n'avait pas de quoi payer son écot. Elle s'était montrée bien étourdie, pour ne pas dire sotte, de quitter les Quatre-Vents sans un sou. Dans l'émotion du départ, elle avait oublié qu'une fois sortie du village de Little Chadbury elle ne pourrait plus compter sur son crédit mais devrait payer en espèces sonnantes et trébuchantes. Pendant les dernières lieues du voyage, elle avait cherché comment avouer sa pénurie à son compagnon, mais n'avait pas réussi à trouver ses mots.

Et maintenant, dans l'élégant salon de Pereguine

Carrington, avec ses gravures de chasse accrochées à côté de ce qui était visiblement des portraits d'ancêtres aux cadres dorés, avec ses précieux meubles luisants et ses riches tentures de damas, elle se sentait prise de panique. Elle se trouvait dans un monde qu'elle ignorait totalement. La pensée d'avoir à habiter chez une dame de l'aristocratie qui la mépriserait — elle en était convaincue — donnait à Georgia le désir fou de s'enfuir pour se réfugier aux Quatre-Vents. Elle n'y avait pas la vie facile ; elle devait s'y colleter avec le problème de la contrebande ; elle risquait sa vie et celle des hommes qui la servaient, mais du moins était-elle parmi des gens qu'elle connaissait et comprenait. Londres était une ville inconnue et par conséquent terrifiante.

Comme le duc rentrait dans la pièce, elle se leva d'un bond, machinalement, et s'approcha de lui.

— Je vous en prie, murmura-t-elle, suppliante, remmenez-moi, je ne peux pas rester. Je ne vous servirai à rien. Je vous ferai honte, c'est tout. S'il vous plaît, Mr. Raven, repartons chez moi.

— Pourquoi ? demanda-t-il doucement de sa voix grave. Qu'est-ce qui vous a bouleversée ?

La main de Georgia se posa instinctivement sur son bras et elle leva son visage vers le sien.

— J'ai peur, chuchota-t-elle.

Il vit son regard effrayé, ses lèvres qui tremblaient. Il la dévisagea un instant avec stupeur puis, ayant remarqué la même expression chez des soldats au moment de monter à l'assaut, il sut aussitôt comment réagir.

— Vous ? Avoir peur ? Je ne peux pas le croire, dit-il sèchement. N'est-ce pas vous que j'ai vue la nuit dernière commander un équipage d'hommes rudes et affronter sans broncher les balles qui sifflaient autour de nos têtes, et vous n'avez même pas blêmi ! La plupart des femmes se seraient évanouies ou auraient eu une crise de nerfs. Et, si j'ai bonne mémoire, c'est vous qui avez dit aux hommes de rentrer chez eux, qui étiez prête à m'aider à transporter un mourant dans les grottes. C'est vous qui avez attendu calmement pendant que je le jetais dans la mer. Et voilà que maintenant vous avez peur ?

Il vit son expression de panique s'estomper, mais son tremblement n'avait pas cessé.

— Je désire quand même revenir chez moi à la campagne, reprit-elle d'une voix plus calme. Je ne vous serai d'aucune utilité, vous devez bien vous en rendre compte.

— Et moi, je ne suis bon à rien sans vous, riposta le duc. Comment pourrais-je identifier un homme que je n'ai jamais vu ?

— Nous ne savons même pas s'il est à Londres, objecta timidement Georgia.

— Vous savez bien qu'il y est, répliqua le duc. Vous savez ce qu'il doit faire, et vous savez que je dois l'en empêcher. Courage, Georgia ! C'est une qualité dont vous n'avez pas manqué jusqu'à présent.

Au bout d'un instant de silence, elle dit :

— Si je me suis montrée brave dans le passé, c'est

que je luttais pour quelqu'un d'autre, pas pour moi.

— Bon Dieu ! s'exclama le duc, pour qui donc croyez-vous lutter maintenant ? Vous vous battez pour votre frère et le pays qu'il sert. Vous vous battez pour tous les hommes, les femmes et les enfants de cette île. Ne comprenez-vous pas ce que signifierait pour nous d'être vaincus par Bonaparte ? N'avez-vous donc aucune idée des souffrances, des privations, de la faim qui sont le lot des pays d'Europe actuellement sous la coupe du dictateur ? J'ai vu les paysans chassés de chez eux par l'ennemi, entassés au bord des routes, affamés, assoiffés, ne possédant plus que ce qu'ils portaient sur le dos.

Le duc fit une pause, le temps que Georgia se rassît avec lassitude sur le divan et plongeât la tête dans ses mains. Puis il reprit :

— La mort du prince minerait le moral du pays et provoquerait des troubles sur le plan politique et national qui seraient peut-être fatals à notre patrie. C'est le moment ou jamais d'être brave et résolue, Georgia.

Elle découvrit son visage. Le duc s'aperçut qu'elle était très pâle mais qu'il n'y avait pas de larmes dans ses yeux.

— Je suis désolée, dit-elle humblement. Pardonnez-moi. Je ne pensais qu'à moi.

— Très bien. Vous verrez que la grand-mère de Pereguine est loin d'être aussi impressionnante que le brouillard en pleine mer ou une vedette de la douane.

Un faible sourire étira les lèvres de Georgia.

— Je suis désolée, répéta-t-elle. Tout cela vient de ce que je déteste les gens du monde. Si cette dame est âgée, elle sera différente, n'est-ce pas ?

C'était un appel que le duc comprit.

— Très différente des amis de votre belle-mère, affirma-t-il. Je vous garantis également autre chose : vous ne serez pas seule. Pereguine et moi, nous ferons tout ce qui est en notre pouvoir pour vous protéger du genre de personne que vous redoutez.

Il vit un éclair briller dans les yeux de Georgia et devina que c'était sur ce point précis qu'elle avait besoin d'être rassurée.

« C'est Ravenscroft qui est là-dessous », songea-t-il. « Le diable l'emporte ! Un de ces jours, je vais régler le compte de ce sale individu ! »

Pereguine entra d'un pas pressé.

— Tout est arrangé, annonça-t-il au duc. La voiture devrait arriver d'ici quelques minutes. Nous n'avons pas beaucoup de chemin à faire, ma grand-mère a une maison dans Grosvenor Square.

— C'est bien commode, dit le duc.

Il s'approcha de la fenêtre.

— La voiture est en bas ; venez, Georgia.

En l'aidant à se lever du divan, il sentit qu'elle avait les doigts glacés. Il ne put s'empêcher de trouver extraordinaire qu'elle eût si peur, puis il se rappela la conversation avec Caroline Grazebrook qu'il avait surprise — et comprit.

Pereguine descendit le premier. Le duc tenait tou-

jours la main de Georgia. Ils étaient seuls et, soudain, il se rappela ce qu'il devait lui dire.

— Ecoutez, Georgia, commença-t-il, il faut que je
vous confie quelque chose...

Mais avant qu'il ait pu s'expliquer, son ami s'enca-
dra de nouveau sur le seuil.

— Nous ferions bien de nous dépêcher !
s'exclama-t-il. Si nous arrivons au beau milieu du
dîner, cela ne mettra pas ma grand-mère de très
bonne humeur. Il n'y a rien qu'elle déteste autant
que d'être dérangée pendant le repas.

— Alors, ne nous attardons pas, dit le duc.

Il s'apprêtait à avouer la vérité sur son identité à
Georgia. Il se maudit d'avoir tant tardé à le faire,
mais il avait craint d'ébranler la confiance qu'elle
avait en lui. Il pressentait qu'une fois qu'elle serait
au courant son titre de duc élèverait entre eux une
barrière, ce qui risquait de rendre leur tâche encore
plus délicate qu'elle ne l'était.

Néanmoins, pendant le court trajet jusqu'à Grosvenor Square, installé à côté d'elle sur la banquette
moelleuse, en face de Pereguine, il se retrouva en
train de réfléchir à la façon d'expliquer la raison de
son subterfuge. Elle pourrait s'étonner qu'il ait prétendu être dans l'embarras et s'il répondait qu'il
n'avait pas menti, elle apprendrait alors qu'il avait
fui les femmes et le mariage.

« Au diable tout cela ! » marmotta-t-il à mi-
voix.

Georgia regardait par la portière.

— Comme les maisons sont hautes ! s'exclama-t-elle. Comme il y a du monde dehors ! Regardez, un ours savant et un homme avec un singe qui a une veste rouge ! Ma mère m'en avait parlé quand j'étais petite, mais je n'ai jamais pensé que je le verrais de mes propres yeux.

— Il y a beaucoup trop de mendiants dans les rues, observa le duc.

Pereguine rit.

— Tu parles avec une gravité de sénateur, s'écria-t-il d'un ton de reproche. Ne le laissez donc pas être si gourmé, Mrs. Baillie.

Georgia considéra le duc avec des yeux étonnés.

— Est-il gourmé ? demanda-t-elle. Ce n'est pas mon avis. Je n'aime pas les gens qui rient trop.

Le duc, sachant qu'elle se référait aux invités de Caroline, dit précipitamment :

— Te voilà mouché, Pereguine. A l'avenir, tu seras plus circonspect.

— Savez-vous ce que je pense, Mrs. Baillie ? questionna Pereguine.

— Non, quoi donc ?

— D'après le peu que mon ami Trydon a été en mesure de me raconter, j'estime que vous prenez la vie beaucoup trop au sérieux. Vous êtes jeune et jolie. Il faut apprendre à être gaie.

— Moi jolie ? répéta Georgia, s'attachant — en femme qu'elle était — au mot qui concernait son apparence. — Sa voix était incrédule.

— Oui, jolie ! affirma Pereguine. Attendez d'être parée de tous vos atours. Ma grand-mère saura où il

faut acheter les falbalas nécessaires. Vous nous sur-
prendrez tous.

Georgia se pencha en avant.

— Vous le croyez sincèrement ? demanda-t-elle. Je
sais que je n'ai pas d'allure, vêtue comme je le suis
maintenant, mais si vous êtes vraiment convaincu
que je ne vous ferai pas honte, à vous et à
Mr. Raven, alors je me sentirai moins inquiète. Ou
bien dites-vous cela juste pour plaisanter ?

— Je vous dis la vérité, je le jure ; je crache par
terre et si je meurs, que j'aille en enfer, comme
disent les enfants. Pomponnée, vous serez très bien,
sinon même formidable.

— Oh, je voudrais bien vous croire, répondit
Georgia.

Pereguine se pencha pour lui prendre la main.

— Voulez-vous faire un pari ? demanda-t-il.

Georgia eut l'air surprise. Il poursuivit :

— Je parie ma bague à cachet en or contre un de
vos gants — à propos, vous feriez bien de les enfiler
avant de rencontrer ma grand-mère — je parie que
lorsque Trydon et moi nous vous emmènerons à
Carlton House, tous les hommes présents demande-
ront votre nom.

— Ne dites pas de sottises ! protesta Georgia avec
un petit rire. Si seulement je pouvais faire fond sur
le quart de ce que vous dites, en vérité je me senti-
rais moins timide.

— Croyez tout, répliqua Pereguine. — Et il lui
baisa la main.

Le duc les observait, déconcerté. Cela ne ressem-

170

blait guère à son ami de se mettre tant en frais pour une femme, mais il se rendait compte que cette attitude redonnait confiance en elle à Georgia et balayait ses appréhensions.

Il était difficile de prendre les terreurs de la jeune femme au sérieux. Le duc se demanda combien de femmes de sa connaissance auraient pu supporter tout ce qui était advenu à Georgia dans les dernières vingt-quatre heures sans s'effondrer. Pourtant, quand ils arrivèrent à la résidence de Lady Carrington, à Grosvenor Square, Georgia descendit de voiture avec légèreté et entra tête haute dans le vaste vestibule de marbre.

— Mieux vaut que j'aille seul prévenir ma grand-mère, dit précipitamment Pereguine.

Il congédia d'un signe le majordome et ouvrit une porte donnant sur le vestibule.

— Attendez-moi là, Georgia et toi, dit-il au duc.

Il les fit entrer dans un salon aux lambris blancs, dont l'air était parfumé par des fleurs de serre qui remplissaient de hauts vases. Bien que l'on fût en été, il y avait du feu dans la cheminée. Pereguine adressa un sourire rassurant à Georgia et referma la porte.

— C'est somptueux, dit Georgia impressionnée en examinant les aîtres. — Puis, avant que le duc ait pu répondre, elle ajouta : — Et si Sa Seigneurie ne m'autorise pas à rester ?

— En ce cas, nous devrons chercher quelqu'un d'autre pour vous chaperonner.

— Vous êtes bien sûrs de vous, tous les deux, n'est-ce pas ? reprit Georgia d'un ton accusateur. Je le trouve sympathique, votre ami le capitaine Carrington, mais j'ai l'impression qu'il a mené une existence singulièrement confortable. Il n'a jamais eu de soucis ni de risques à prendre. Tout va comme sur des roulettes pour lui.

— Quand nous combattions dans la Péninsule, répliqua le duc gentiment, quelques-uns de nos hommes, toute une escouade en fait, tombèrent dans une embuscade. Dès la nuit venue, Pereguine partit à pied avec deux de ses maréchaux des logis. Ils ramenèrent au camp douze hommes qui avaient été blessés mais vivaient encore. Ils le firent à la barbe des Français. C'est seulement parce que la nuit était sombre et qu'il pleuvait à torrents qu'ils ne furent pas repérés !

Il y eut un lourd silence que Georgia rompit en disant avec humilité :

— Je suis désolée. Je ne cesse de dire cela, mais c'est que je suis très ignorante. Je pensais que les gens gais et qui rient beaucoup sont profondément insouciants sinon même libertins.

— Puis-je faire une remarque sans vous offenser ? demanda le duc.

— Bien sûr.

— Les hommes et les femmes que vous avez pu connaître par votre belle-mère n'appartiennent pas à ce que l'on entend par bonne société. Quand bien même ils sont titrés, les hommes sont considérés par les gens honnêtes comme des esbroufeurs et sont méprisés, et les femmes ne seraient reçues par personne. Je suis d'une franchise brutale, mais j'espère que vous me pardonnerez.

— C'est ce que je pensais, répliqua Georgia, mais j'étais trop sotte, je suppose, pour l'exprimer.

— Pas du tout ! s'écria le duc. Vous êtes trop bien élevée pour connaître le demi-monde où ces créatures évoluent.

— Ma mère était bien différente, dit-elle à mi-voix, mais elle se rendait rarement à Londres. Mon père et elle se plaisaient à la campagne et ne s'intéressaient ni aux bals, ni aux réceptions, ni aux dîners. Ils préféraient leur propre compagnie. Je crois... je crois que c'est pour cette raison que mon père a tant souffert de la solitude après la mort de ma mère et qu'il... qu'il s'est remarié.

— Il n'a manifestement rien compris au genre de femme qu'il avait choisie, commenta le duc sans ambages.

— Vous n'avez aucune idée de ce qu'est ma belle-mère, dit Georgia d'un ton malheureux.

Le duc ne la détrompa pas. En fait, il s'avisait que le moment était venu de dire la vérité à Georgia sur son propre compte, mais une fois de plus il s'y prenait trop tard. Au moment même où il s'apprêtait à parler, la porte s'ouvrit et Pereguine entra.

— Ma grand-mère est aux anges ! annonça-t-il. Rien ne l'enchante plus qu'une intrigue. Elle est disposée à vous accueillir à bras ouverts, Mrs. Baillie, et l'idée de vous procurer des robes neuves l'a rajeunie de vingt ans. Elle est aussi enthousiaste qu'une débutante qui prépare son premier bal.

— Oh, cela m'ôte un poids du cœur ! murmura Georgia. J'avais craint que Sa Seigneurie ne veuille pas de moi.

— Elle espère déjà que vous ne serez pas trop prompte à trouver le Français que vous recherchez, dit Pereguine pour la rassurer.

Le duc fronça les sourcils.

— Tu as prié ta grand-mère d'être discrète ? demanda-t-il.

— Tu ne connais pas la douairière, répliqua Pereguine. Tu pourrais lui confier tous les secrets du ministère de la Guerre sans qu'elle en souffle mot à personne. Ce n'est pas une bavarde invétérée comme la moitié des vieilles dames que tu vois cancaner à Almack (1).

— Je présente mes excuses, dit le duc en s'inclinant légèrement.

— Venez donc vous rendre compte par vous-même, dit Pereguine à Georgia.

Il ouvrit la porte et s'effaça pour la laisser passer. Se tournant alors vers le duc, il lui demanda à voix basse :

— Lui as-tu dit qui tu étais ?

Le duc secoua négativement la tête.

— J'ai averti grand-mère que tu avais gardé l'incognito, mais un lapsus est vite fait. Si tu veux m'en croire, tu me confieras Mrs. Baillie. Quand je

(1) Almack : Club mondain dans Berkeley Street.

me serai acquitté des introductions, j'irai te
rejoindre chez toi.

— Entendu, acquiesça le duc.

Il était presque déçu de ne pas assister à la rencontre des deux femmes mais il se rappelait qu'il
avait un urgent besoin de se rafraîchir et de changer
de vêtements.

— Bonne nuit, Georgia, dit-il en tendant la
main.

— Vous me quittez ? demanda-t-elle tandis
qu'une lueur d'appréhension s'allumait dans ses
yeux.

— Vous avez besoin de sommeil, répondit-il. Je
viendrai demain matin et nous établirons nos
plans.

Il sentit les doigts de Georgia se crisper sur les
siens quand il porta sa main à ses lèvres selon la
coutume.

« Pauvre petite ! » songea-t-il avec compassion en
montant en voiture.

Une heure plus tard, quand il eut pris un bain et
se fut changé, Pereguine n'avait toujours pas donné
signe de vie. Une idée le frappa alors qu'il dégustait
un verre de vin. Il se rappela quelque chose qui était
resté enfoui si longtemps au fond de sa mémoire que
le souvenir venait seulement d'émerger.

Dans les premiers temps où il s'était épris de Caroline, il se réveilla un soir chez elle dans son lit en
forme de coquille d'argent et s'aperçut que la jeune
femme n'était pas auprès de lui. Il n'y avait pas de
lumière dans la pièce, à part le reflet adouci que

projetaient les braises d'un feu mourant. Pendant un moment, à cheval entre la veille et le sommeil, il se demanda vaguement où elle pouvait être. Puis, à travers ses paupières mi-closes, il la vit entrer par une porte donnant sur la pièce voisine où il s'était déshabillé.

On aurait presque dit un fantôme à la voir dans sa chemise de nuit diaphane qui marchait silencieusement pieds nus sur le tapis. Il se rendit compte alors qu'elle portait quelque chose dans la main. Il ne voulut pas s'avouer tout de suite qu'il savait ce que c'était, mais la vérité était indéniable.

Il avait gagné gros au jeu dans la soirée. Caroline était assise à côté de lui et il lui avait abandonné la moitié de ses gains. Elle avait misé aussi, mais très prudemment, et ils étaient partis tous les deux chargés de pièces d'or. Caroline avait déposé les guinées qu'il lui avait données dans un tiroir de sa coiffeuse. Elle avait fait en même temps une réflexion malicieuse. Lui-même avait laissé ses gains dans l'autre pièce, à côté de ses vêtements. Il n'avait pas pris la peine de compter l'argent et, tout en regardant Caroline traverser la chambre, il se disait qu'au matin il ne se serait pas aperçu de ce qu'elle avait prélevé. Néanmoins, puisqu'il lui avait déjà tant offert, cette avidité l'irritait et l'écœurait.

Elle s'immobilisa un instant pour examiner la somme à la lueur du foyer. Son corps se silhouettait à contre-jour et, malgré sa colère, parce qu'elle était si belle, il se sentit ému par le désir. Elle ouvrit d'un geste vif la porte de la penderie et descendit d'une étagère un carton à chapeaux comme en utilisent les modistes pour livrer capotes et chapeaux à leurs clientes.

Il entendit un faible cliquetis quand Caroline plaça les pièces à l'intérieur. Elle referma le carton et le remit sur la planche supérieure de la penderie dont elle ferma doucement la porte, puis elle revint vers le lit. Il avait pensé lui faire la leçon, lui dire ce qu'il avait vu, mais comme elle passait devant le feu cela lui parut soudain sans importance. Il y avait mieux à dire et à faire. Il tendit les bras et l'attira contre lui...

Finalement, jamais il n'avait soufflé mot de l'incident ; mais il se disait maintenant que si, dans le passé, Caroline se servait d'un carton à chapeaux comme cachette pour ce qu'elle possédait de précieux, il y avait peu de chance qu'elle ait changé d'habitude au fil des années.

Le duc éprouvait de la lassitude et ses muscles étaient encore endoloris par la traversée de la Manche mais, subitement, il recouvra sa vigueur et son énergie. Il posa son verre et se leva d'un bond. Il dit à son maître d'hôtel de prier le capitaine Carrington de ne pas l'attendre s'il venait.

— Je ne sais pas quand je rentrerai, Hargraves. Dites au cuisinier que je dînerai à mon retour.

— Votre voiture n'est pas devant la porte, Votre Grâce. Dois-je l'envoyer chercher ?

— Je ne vais pas loin, répliqua le duc. J'irai à pied.

— Mais, Votre Grâce !... s'exclama le serviteur

qui s'interrompit en s'apercevant que son maître
était déjà loin dans la rue.

Sans éprouver une curiosité réelle, le duc avait
demandé incidemment à Georgia où demeurait sa
belle-mère. Georgia répondit que son père avait
acheté à Caroline une maison dans Charles Street.
Elle ne se trouvait qu'à quelques minutes de marche
de Berkeley Street, où habitait le duc. En arrivant
devant l'entrée principale, il vit que les rideaux
étaient tirés et qu'il n'y avait pas de lumière dans le
vestibule : manifestement, Caroline n'était pas encore de retour à Londres.

« Ce qui, songea le duc, est juste ce que j'espérais. »

Il s'engagea dans la ruelle parallèle à Charles
Street. Il n'y avait pas grand monde dehors. Dans les
écuries, les palefreniers pansaient leurs chevaux sans
se préoccuper des passants.

Le duc avait exécuté des escalades plus difficiles
mais peut-être pas aussi aventureuses que celle qu'il
entreprit alors : il grimpa jusqu'à une fenêtre du
premier étage le long d'une gouttière aboutissant
dans un tonneau d'eau de pluie. Il avait remarqué
que la fenêtre à guillotine était ouverte et il ne lui
fallut que quelques secondes pour soulever la vitre
et introduire ses jambes à l'intérieur.

Il se trouvait dans la partie la plus petite d'un
salon en forme de L. La pièce était plongée dans
l'obscurité. Il resta aux aguets pendant quelques instants pour s'assurer qu'il n'y avait personne, puis il
alluma une chandelle avec le briquet à silex qu'il

avait découvert en fouillant à tâtons sur un meuble qui était manifestement une table à écrire. La lumière de la chandelle révéla une pièce installée de façon très élégante. Les rideaux et les housses étaient de la couleur favorite de Caroline : rose framboise. Il y avait des bibelots de porcelaine partout. Le duc se rappela que son goût l'avait toujours fait frissonner.

Chandelle en main, il ouvrit la porte donnant sur l'escalier. Toutes ces maisons avaient à peu près la même distribution : il devait y avoir au rez-de-chaussée une salle à manger et un petit salon, tandis que la chambre à coucher de Caroline était située à l'étage au-dessus de celui où se trouvait le duc. Les domestiques étaient cantonnés, heureusement pour lui, dans le sous-sol sombre et humide.

Il monta l'escalier. Le lit de Caroline, remarqua-t-il, n'était plus une coquille d'argent ; il se drapait de rideaux de gaze claire tombant d'une couronne d'angelots dorés. Après avoir allumé trois chandelles sur la coiffeuse ; il examina les placards. Il y avait quatre portes, il dut en ouvrir trois avant de trouver un placard avec une étagère dans le haut sur laquelle étaient posés plusieurs cartons à chapeaux.

Il en souleva deux. Il les trouva trop légers pour être intéressants ; le troisième était pesant. Il le descendit et fit la découverte qu'il attendait : la cachette de Caroline, son coffre-fort où elle conservait ses secrets comme un écureuil sa provision de noix.

Il vit des écrins, des pièces de monnaie en vrac et deux paquets de lettres et de papiers. Le duc posa le carton et, prenant le premier paquet, défit le ruban attaché autour. Il déplia le papier du dessus et le lut ; son expression était sévère quand il lut le suivant, puis un autre encore.

Il se rendait compte que Caroline se faisait des revenus copieux grâce au chantage, et un chantage particulièrement odieux ! Le duc connaissait bien le genre de jeunes gens qu'elle surprenait à commettre une imprudence sinon même quelque acte illégal. Caroline leur signifiait clairement qu'un mot d'elle entraînerait la ruine de leur carrière et de leur réputation. Ses victimes étaient toutes de très jeunes gens comme Charles Grazebrook. Caroline était une Circé très séduisante et pleine d'expérience, et ses esclaves s'enchaînaient d'eux-mêmes à elle sans rémission.

Le duc fourra ce paquet de lettres dans la poche de poitrine de sa veste, puis examina le second qui était plus petit. Le premier papier qu'il prit était la confession de Charles Grazebrook. Il y en avait d'autres, mais le duc ne se donna pas la peine de les lire. Il les ajouta au lot dans sa poche, puis il ramassa le carton à chapeaux pour le remettre en place. C'est alors qu'il eut conscience que, depuis un certain temps, un vacarme assez conséquent résonnait en bas. Des bruits de voix, des portes qui s'ouvraient et se fermaient, mais le duc n'y avait pas prêté attention car il était absorbé par ce qu'il faisait.

Comme il replaçait le carton sur la planche, il entendit quelqu'un monter. Impossible de confondre avec une autre cette voix sèche qui savait se faire si ensorcelante quand elle le voulait.

— Allumez les bougies ! Montez une bouteille de vin de la cave. Dites au cuisinier que je veux dîner dans une heure, à huit heures, et dépêchez-vous. Si vous n'êtes pas capable d'assurer le service pour lequel vous êtes engagé, je trouverai quelqu'un de plus qualifié.

Le duc eut juste le temps de refermer le placard et de bondir à travers la pièce pour se jeter sur le lit. Quand Caroline ouvrit brusquement la porte, il était couché, la tête sur l'oreiller, et lui souriait.

Caroline poussa un léger cri.

— Qui diable... Qui êtes-vous... ? Que... ? commença-t-elle. — Puis sa voix changea : — Trydon... Trydon, tu m'es revenu !

CHAPITRE VIII

GEORGIA ÉTAIT DEBOUT DANS LE SAlon de Mme Bertin, dans Bond Street. Elle venait de passer plus de trois heures à essayer des tenues de bal, des robes de voyage, des déshabillés et des pelisses ; à se voir drapée dans de la mousseline, de la gaze, de la dentelle de fil et une polonaise de satin, que l'on épinglait çà et là, puis que l'on soumettait au verdict de la douairière.

Lady Carrington trônait dans un fauteuil à haut dossier, le face-à-main braqué, un petit page noir assis à ses pieds. En dépit de son âge, la douairière était vêtue à la dernière mode ; de son cou tombaient en cascade de multiples rangs de magnifiques perles fines. Chaque mouvement de son bras provoquait un tintement de bracelets de diamants et allumait un scintillement sur les nombreuses bagues qu'elle portait à ses doigts longs et osseux.

Elle était formidable, effrayante et absolument fascinante. C'est une Georgia tremblante qui lui avait été présentée mais, quand elles allèrent se coucher, Georgia était consciente qu'en la grand-mère de Pereguine elle avait à la fois une amie et une alliée.

— Hideux ! s'exclama présentement la douairière. Enlevez ça, madame Bertin. Ne voyez-vous pas que cette teinte pastel fait ressortir le hâle de cette petite ? Je ne peux pas comprendre qu'une jeune femme de qualité se promène au soleil sans parasol pour protéger son teint !

Lady Carrington regardait Georgia en parlant : ses yeux pétillaient et un sourire presque coquin retroussait le coin de ses lèvres. Georgia comprit que la douairière voulait plaisanter car elle savait pertinemment pourquoi la peau de sa protégée était plus dorée que ne le voulait la mode.

— Vous avez raison, m'lady, acquiesça Mme Bertin. Les yeux magnifiques de *Mademoiselle* ne sont pas mis en valeur par les tons pastel, alors que les couleurs vives sont *ravissantes* sur elle ; *mais pour une jeune fille,* les teintes vives ne sont pas *comme il faut* (1).

— *Mademoiselle* n'est pas une *jeune fille* (1), répliqua sèchement Lady Carrington. N'avez-vous pas remarqué son alliance ?

— A vrai dire, m'lady, j'avais bien vu que Madame portait une bague à la main gauche, répondit Mme Bertin, mais je n'avais pas pensé que ce

(1) En français dans le texte.

184

pouvait être le symbole de quelque chose d'aussi grave que *le mariage*. Madame paraît tellement jeune, tellement candide, tellement innocente ! Je ne pouvais pas croire qu'elle était déjà mariée. *Je m'excuse* (1). Je me suis trompée, mes félicitations, madame.

— Merci, dit Georgia un peu mal à l'aise.

— Je comprends maintenant, reprit Mme Bertin, pourquoi Votre Seigneurie a choisi la robe en taffetas couleur de pommier, celle en gaze vert Nil et celle en batiste avec les rubans vert émeraude. Pour une femme mariée, elles sont d'un goût parfait et Monsieur sera fier d'avoir une épouse aussi séduisante.

Quand elles étaient entrées dans la boutique, Georgia avait pensé qu'elles achèteraient seulement deux robes, une du soir pour aller à Carlton House et une de mousseline pour le jour destinée à remplacer l'amazone de velours râpé qu'elle avait sur elle en venant à Londres. Mais à sa surprise, la douairière scandalisée s'était refusée à une telle lésinerie.

— Il vous faut au moins une douzaine de robes, avait-elle déclaré avec autorité. — Et elle s'était mise à les commander sans même consulter Georgia.

Terrifiée à l'idée de la dette qu'elle allait contracter, Georgia s'était précipitée au côté de l'impressionnante vieille dame pour lui chuchoter :

— Mais, madame, qui paiera tout cela ? Je vous

(1) En français dans le texte.

assure que je n'ai pas d'argent et je ne peux pas permettre que Mr. Raven...

— Je l'espère bien, interrompit la douairière. Ce serait inconcevable ! Non, ma chère, ceci est ma contribution à cette aventure !

— Mais, madame, vous ne me connaissez pas. Je ne peux pas accepter que..., commença Georgia qui fut réduite au silence par un geste impérieux.

— Laissez-moi m'amuser, déclara la douairière. Il y a longtemps que je n'ai pas eu à m'occuper de quelqu'un de jeune et de jolie. J'avais la même silhouette que vous quand j'avais votre âge mais, hélas ! la mode ne me permettait pas de la montrer.

Après quoi, Georgia cessa de protester mais, à chaque nouvelle robe qui était choisie, elle avait l'impression de voir grossir une dette qu'elle ne serait jamais en mesure de rembourser.

Le négrillon, vêtu d'une éclatante livrée vert émeraude à boutons dorés et coiffé d'un turban assorti, regardait d'un air impassible. De temps à autre, il devait se lever vivement pour ramasser la canne à pommeau d'ivoire de la douairière qui était tombée. Une fois, il s'endormit, pour être réveillé par le bout pointu du soulier de sa maîtresse. La vieille dame portait une robe Directoire en satin violet ; sa capote à haute calotte était bordée de tout un bouquet de plumes d'autruche de même teinte. Aux yeux de Georgia, elle offrait un tableau fantastique.

Finalement, alors que Georgia se sentait sur le point de s'évanouir de fatigue, l'essayage dans le petit magasin étouffant et encombré lui paraissant bien plus épuisant que la traversée de la Manche, la douairière décréta que c'était suffisant.

— Toutes ces robes doivent être finies aujourd'hui, dit-elle.

— Hélas ! c'est impossible, m'lady ! s'écria Mme Bertin. Deux, peut-être trois seront livrées à Grosvenor Square d'ici l'heure du dîner. Le reste... demain matin. Mes ouvrières devront travailler toute la nuit.

— Très bien, concéda la douairière, mais je sais que vous ne voudriez pas voir paraître la dernière et la plus sensationnelle beauté de Londres habillée autrement que par vos remarquables créations.

Georgia la considéra avec perplexité. Elle n'avait écouté que d'une oreille les compliments extravagants de Mme Bertin. Elle avait beau venir de la campagne, elle n'était pas idiote et avait compris que la couturière se répandait en flatteries pour forcer la vente. Mais que la douairière dise qu'elle était une beauté la surprit.

Comme si elle devinait ce que ressentait Georgia, Lady Carrington sourit.

— Il faut que vous mettiez maintenant la robe en mousseline avec les rubans turquoise, dit-elle. Habillez-la, madame Bertin, et faites apporter du magasin voisin des lotions, des poudres et du rouge à lèvres. Le visage de cette petite a l'air nu et c'est quelque chose que je ne peux pas supporter.

Georgia eut l'impression qu'une douzaine de

mains l'aidaient à enfiler ses nouveaux vêtements.
Elle se sentait gênée dans cette fine mousseline
presque transparente. Elle songea avec appréhension
qu'elle devait être trop mince car les repas étaient
maigres et ne consistaient que de choses provenant
du domaine quand elle et sa nourrice étaient seules
aux Quatre-Vents.

Elle espérait que Mr. Raven ne serait pas choqué
par cet accoutrement à la toute dernière mode. Elle
eut soudain le désir de voir de l'admiration dans ses
yeux au lieu de l'expression avec laquelle il la regardait habituellement. Elle n'aurait pas su le formuler
explicitement, mais elle sentait qu'elle l'amusait et
qu'il la considérait comme une sorte de garçon
manqué assez fatigant.

La pensée de Mr. Raven l'amena à se demander
comment, étant donné les circonstances, il avait des
amis aussi riches et influents. Il se trouvait dans une
situation délicate, il le lui avait dit ; pourtant, le
voilà qui revenait à Londres, obtenait que son ami
Pereguine introduise Georgia auprès de sa grand-
mère et prenait ses dispositions pour qu'ils soient
tous invités à Carlton House. Comment pouvait-il
faire cela et être un fugitif qui s'enfuyait seul à
cheval à travers la campagne ?

Georgia était si préoccupée de Trydon Raven
qu'elle remarqua à peine ce qu'on faisait subir à son
visage et que l'on plaçait finalement sur sa tête une
capote à large bord dont les rubans furent noués
sous son petit menton.

— Voilà ! s'exclama Mme Bertin. C'est merveilleux, n'est-ce pas ? Un chef-d'œuvre, m'lady, un chef-d'œuvre comme seule une artiste comme moi peut en créer.

— Vous avez bien travaillé, approuva Lady Carrington. Tournez-vous, petite, que je puisse vous regarder.

Mais Georgia, pétrifiée, contemplait son image dans la glace. Les cousettes qui l'avaient habillée s'étant écartées, elle avait maintenant une vue d'ensemble de leur ouvrage. Elle mit un instant à comprendre que c'était bien elle qu'elle voyait.

La mousseline blanche, presque aussi fine qu'une toile d'araignée, moulait son corps dont elle soulignait le modelé tout en révélant aussi sa grâce encore adolescente. Des rubans couleur turquoise, qui n'avaient pu être tissés qu'en France, cernaient sa poitrine menue et descendaient en cascade jusqu'à l'ourlet de sa jupe. La petite veste courte qui lui couvrait les épaules et les avant-bras était en taffetas turquoise, de la même couleur que les rubans de sa capote à large bord et les plumes enroulées comme des coquillages qui pointaient au-dessus. La capote faisait paraître son visage minuscule, mais ses yeux semblaient énormes, ses lèvres très rouges. Une application de lotion au concombre et de poudre fine sur sa peau avait fait disparaître le hâle provoqué par la brûlure du soleil et les fraîches brises marines. Seules ses mains la trahissaient encore et Mme Bertin, comme si elle lisait ses pensées, lui apporta une paire de longs gants turquoise assortis à l'ensemble.

189

— Est-ce bien moi ? demanda Georgia à mi-voix.

— Madame le saura quand tous les messieurs lèveront leur verre pour porter sa santé, dit Mme Bertin en souriant.

— J'espère qu'ils ne feront rien de tel, déclara sèchement la douairière. Le nom d'une femme comme il faut ne doit jamais être mentionné par les hommes, vous le savez bien.

Les yeux de la Française pétillèrent.

— On m'a souvent dit que le nom de Votre Seigneurie était sur toutes les lèvres à St. James et que tout Londres vous appelait « l'Incomparable des Incomparables ».

— Quelle sottise ! rétorqua Lady Carrington qui sourit néanmoins. J'étais une écervelée ! Espérons que Mrs. Baillie sera plus circonspecte dans sa conduite que je ne l'étais.

— Vous avez dû merveilleusement vous amuser, dit Georgia.

— Nous étions très gais, c'est vrai, concéda la vieille dame, et, de mon temps, nous étions plus libres et plus francs. Maintenant, on se répand en lamentations patelines et hypocrites sur les débordements de la jeune génération. Il y a trop de vieilles douairières intransigeantes, dont j'espère ne jamais faire partie, qui créent des interdits uniquement pour empêcher les jeunes de s'amuser. Almack n'est plus qu'un rendez-vous de commères et c'est ennuyeux comme la pluie.

La douairière se tut subitement, comme si elle interrompait une de ses diatribes favorites.

— Cela n'empêche pas que vous trouverez ce club amusant, petite. Nous irons ce soir — si mon petit-fils a l'obligeance de nous escorter, toutefois. Nous le lui demanderons, car je l'ai prié de déjeuner avec nous et il doit nous attendre.

Elle se dirigea vers la porte que son page noir se précipita pour ouvrir.

— Que M'lady désire-t-elle que l'on fasse de l'amazone que Mrs. Baillie portait en arrivant ? demanda Mme Bertin.

— Brûlez-la, ordonna Lady Carrington avant que Georgia ait pu répondre. Brûlez-la et brûlez le passé avec. Il est toujours sage de prendre un nouveau départ en tout quand on change de milieu.

Georgia mourait d'envie de contremander l'ordre, mais elle n'osa pas. Que se passerait-il, songea-t-elle, quand elle rentrerait aux Quatre-Vents ? Elle n'aurait plus de costume de cheval et n'avait pas les moyens d'en acheter un autre. Pendant un instant, elle pensa protester mais la douairière était déjà dans la rue. Les valets de pied juchés derrière la voiture avaient sauté à terre pour aider leur maîtresse à monter dans la calèche dont la portière s'ornait d'armoiries resplendissantes.

Georgia ne pouvait que la suivre. Elle s'attarda juste assez pour tendre la main à Mme Bertin et lui dire :

— Merci. Je ne sais comment vous remercier.

— *Mais*, madame, c'est toujours un privilège

d'habiller *une femme si élégante* (1), répliqua Mme Bertin.

Georgia monta vivement dans la voiture et le cheval, énervé d'avoir attendu, partit d'un trot vif vers Grosvenor Square.

— Je ne sais que dire, commença Georgia doucement.

— Ne dites rien, petite, riposta la douairière. Il y a longtemps que je n'avais pas passé une matinée aussi agréable. Si vous saviez comme mes contemporains sont déprimants, vous comprendriez que j'accueille avec joie l'occasion d'être avec des jeunes. Ce soir, nous irons à Almack, demain à Carlton House.

— Etes... Etes-vous sûre ? bégaya Georgia.

— Sûre de quoi ? questionna la douairière.

— Que... que l'on me permettra d'entrer, expliqua-t-elle.

— Vous pouvez aller partout et n'importe où sous mon patronage, déclara fièrement Lady Carrington. Je suis peut-être vieille, mais je suis toujours une personnalité dans le *beau monde* (1) et vous me ferez honneur.

Elle tapotait la main de Georgia tout en parlant.

— Mais je regrette que vous soyez déjà mariée, reprit-elle. Cela m'aurait amusée de jouer un peu les marieuses. Malheureusement, je n'ai pas de petite-fille.

— Oui, je suis déjà mariée, dit vivement Georgia,

(1) En français dans le texte.

et à franchement parler, madame, les gens du monde ne m'intéressent pas. Pour tout dire, je les déteste.

La douairière la considéra avec surprise.

— Qu'est-il donc arrivé pour vous donner pareil sentiment ? demanda-t-elle.

Georgia rougit.

— Je ne peux pas l'expliquer, madame, mais je prends ces messieurs pour ce qu'ils sont... répugnants, méchants et luxurieux.

— Voilà des termes énergiques, commenta la douairière. Appliqueriez-vous cette description à mon petit-fils Pereguine et à son ami Trydon ?

Georgia eut l'air gênée.

— Non, madame... excusez-moi, je crains fort d'avoir été extrêmement impolie. Je ne parlais pas du capitaine Carrington qui s'est montré d'une grande bonté à mon égard, ni de Mr. Raven, bien sûr, qui a été on ne peut plus compréhensif et gentil. Mais... mais... d'autres personnes.

— Et qui en particulier ? s'enquit la douairière.

Georgia détourna la tête.

— Je préférerais ne pas en parler, dit-elle d'une voix qui tremblait.

Lady Carrington eut la sagesse de ne pas insister. A leur arrivée à Grosvenor Square, le tapis rouge fut étalé sur le pavé et elles entrèrent dans le vestibule.

— Le capitaine Carrington est-il là ? demanda la douairière au maître d'hôtel.

— Oui, M'lady. Il est dans la bibliothèque.

193

Lady Carrington se tourna vers Georgia et dit d'un air de conspirateur :

— Ecoutez, petite, je voudrais voir la tête que fera mon petit-fils quand vous entrerez. Je saurai alors si j'ai réussi à vous transformer en papillon. Attendez un peu avant de pénétrer dans la bibliothèque.

Elle rit sous cape en s'éloignant dans le vestibule de marbre.

Georgia comprenait fort bien que sa transformation parût amusante du point de vue de la douairière, mais en ce qui concernait le sien propre elle en était moins sûre. Elle se contempla dans le miroir doré suspendu au-dessus d'une console de marbre finement sculptée. C'eût été faux de nier qu'elle était jolie. Ses yeux bleus étaient grands, les cils qui les ombrageaient étaient noirs et soyeux. Mais elle se rendait compte au froid de ses mains et au tremblement subit de ses lèvres qu'elle était malade d'appréhension, non pas à cause de ce que pourrait penser d'elle le capitaine Carrington mais parce qu'elle avait vu deux chapeaux hauts de forme en poil de castor dans le vestibule, et elle savait qu'il n'était pas seul dans la bibliothèque.

S'il allait être déçu, ce second gentilhomme qui attendait là ? Si, après tout le mal que s'était donné la douairière ce matin, Mr. Raven décidait finalement de ne pas l'escorter à Carlton House ?

Puis Georgia se dit qu'il n'y avait rien de personnel dans l'intérêt que Trydon porterait à son apparence. Elle lui était utile parce qu'elle, et elle seule, pouvait identifier le Français à qui elle avait fait traverser la Manche. L'air qu'elle avait importait peu. Pour autant qu'elle était proprement et correctement vêtue, il l'y traînerait si cela lui convenait. Une fois la mission de Georgia accomplie, il serait prêt à la renvoyer aux Quatre-Vents comme un colis indésirable.

L'excitation qu'elle avait ressentie s'estompait, mais la fierté vint à sa rescousse. Au lieu de se diriger vers la bibliothèque avec inquiétude, elle s'y rendit d'un pas conquérant. C'est seulement quand deux valets de pied lui ouvrirent la porte qu'elle sentit les battements de son cœur s'accélérer.

Ils se tenaient tous les trois à l'autre bout de la pièce, près de la cheminée, et, à son entrée, trois paires d'yeux la dévisagèrent. Sa première impression fut que Mr. Raven avait changé. Elle se rendit compte alors que c'était dû au fait que, pour la première fois depuis qu'elle le connaissait, il était habillé à la dernière mode. Son habit vert sombre à revers de satin clair accentuait encore la largeur de ses épaules ; son pantalon collant et l'élégant gilet barré par une chaîne de montre en or le faisaient paraître très différent de l'homme avec qui elle avait voyagé la veille seulement.

Elle avait l'impression de nager en plein rêve, d'avoir pénétré dans un monde qui lui était totalement étranger. La douairière avec ses plumes et ses bijoux, les hommes avec leurs grandes bottes luisantes et leur haute cravate neigeuse semblaient appartenir à quelque conte de fées qu'elle aurait imaginé pour distraire sa solitude. Pereguine rompit le silence.

— Seigneur ! s'exclama-t-il, c'est impossible mais vrai. Grand-mère, tu es un génie.

Georgia ne put que rire. En s'approchant d'eux, elle s'avisa que Mr. Raven n'avait rien dit, mais dans ses yeux elle vit ce qu'elle avait espéré y voir. Elle tendit la main d'abord à Pereguine et, parce qu'elle était embarrassée, elle ne se tourna pas aussitôt vers son ami. Elle sentait instinctivement comme toutes les femmes que son regard était posé sur son visage. Elle savait, sans avoir besoin de le vérifier, qu'il avait jaugé au premier coup d'œil l'élégance de sa robe et peut-être la perfection du corps qui était dessous. Et parce qu'elle était femme, elle était contente que le hâle de ses mains soit dissimulé sous les gants turquoise.

— Eh bien, Trydon, qu'en pensez-vous ? questionna la douairière.

Le duc qui dévisageait toujours Georgia ne répondit rien. Celle-ci, un peu piquée par son silence, s'écria impulsivement :

— Oui, je vous en prie, dites-nous ce que vous en pensez. Avez-vous encore honte de moi ?

— Je n'ai jamais eu honte de vous, répliqua-t-il, mais je suis bouleversé. J'ai amené à Londres une charmante jeune fille de la campagne, simple et naturelle. Je vois maintenant une élégante sophistiquée. Je ne suis pas absolument certain que le changement me plaît.

— Trydon, vous devriez avoir honte de jouer les

rabat-joie ! s'exclama la douairière. Cette petite espérait que vous lui feriez un compliment. Et pourquoi pas ? Mme Bertin — qui pourrait être meilleur juge ? — dit que tous les hommes de Londres la porteront aux nues avant que la nuit soit finie.

— J'espère que non, répliqua le duc.

Lady Carrington rit.

— C'est exactement ce que j'ai dit ! De très mauvais goût ! Mais Mme Bertin n'exagérait pas. Cette petite est ravissante et vous le savez aussi bien que moi.

— J'en ai le souffle coupé, s'écria Pereguine. Je savais bien que grand-mère réussirait des prodiges — comme d'habitude chaque fois que je lui demande quelque chose — mais je ne m'attendais pas à un tel miracle. Mrs. Baillie... votre serviteur.

Il s'inclina profondément devant Georgia, qui plongea en riant dans une révérence.

— Merci de ces bonnes paroles, dit-elle. J'en avais besoin, car je vous assure que sous tous ces atours je suis aussi intimidée qu'une paysanne ignorante. C'est d'ailleurs ainsi que me qualifie toujours ma belle-mère.

— Votre belle-mère ? releva la douairière.

Le duc s'interposa vivement :

— C'est une longue histoire. Ne pourrions-nous vous la raconter à un autre moment ?

— Certes, dit la douairière. Passons maintenant à table car j'avoue que ces emplettes m'ont affamée.

Elle se dirigea vers la porte que Pereguine se hâta d'aller lui ouvrir. Georgia se tourna vers le duc.

— Vous n'êtes pas content ? questionna-t-elle d'un ton anxieux.

— Mais si, affirma-t-il. Content pour vous et content que Sa Seigneurie ait obtenu un tel résultat. Seulement je crains que ce beau plumage ne fasse envoler l'oiseau.

Quelque chose dans sa voix incita Georgia à baisser les yeux. Puis, coulant un regard sous ses cils, elle dit :

— Je vous assure que pour le moment je n'ai envie de voler nulle part, sinon peut-être vers Almack.

— Ce n'est pas précisément ce que je voulais dire, répliqua-t-il.

— Non ? — Elle lui jeta de nouveau un coup d'œil. — Alors dois-je vous promettre de ne pas m'envoler... avant que vous m'en donniez l'autorisation ?

— Voilà ce que j'espérais entendre.

— D'autre part, il y a une chance que nous découvrions le Français ce soir, lui rappela-t-elle à mi-voix. Et ce sera fini, n'est-ce pas ?

— Fini ? répéta le duc. Je crois que vous êtes la seule qui puisse répondre à cette question.

Georgia avait l'impression que leurs paroles étaient chargées de plus de sens qu'elles n'en avaient en apparence. Elle se demandait pourquoi ce genre de propos lui donnait soudain tant d'animation et lui faisait monter le sang aux joues.

— Peut-être, reprit-elle presque dans un mur-

mure comme ils arrivaient dans le vestibule, peut-
être la vie me paraîtra-t-elle triste et même vide
quand cette aventure sera terminée.

Tout en parlant, elle songeait : « Je flirte ! Je lui
donne la réplique et je me sens capable de flirter
parce que je sais que j'ai bonne apparence. Parce
que... oh, parce que je me sens tellement différente ! »

L E duc avait passé une matinée laborieuse à examiner les lettres dont il s'était emparé dans le
carton à chapeaux de Caroline. Il les avait lues, puis
mises chacune sous une enveloppe adressée à son
auteur. Il avait le sentiment qu'il rendait le bonheur
et la paix d'esprit à un grand nombre de jeunes
écervelés.

Finalement, il n'était plus resté que deux lettres.
L'une était celle que le frère de Georgia, Charles,
avait griffonnée d'une écriture d'homme ivre, l'autre
que le duc avait rejetée de côté après en avoir pris
connaissance. Il ramassa cette dernière et la parcourut de nouveau.

28 mars 1809
White Club, St. James.

Chère Lady Grazebrook,

*Une date favorable pour la réception dont nous
nous sommes entretenus hier soir serait le 3 avril.*

*J'ai donné les instructions à Philip pour qu'il pré-
pare les voitures.*

*Je reste, madame, votre admirateur le plus
dévoué.*

Ravenscroft.

Le duc pensa d'abord que le billet se référait à
quelque réception mondaine qu'organisaient
ensemble Caroline et Lord Ravenscroft. Puis un nom
lui sauta aux yeux : Philip.

Il se remémora l'endroit où il avait entendu ce
nom pour la première fois et comment il l'avait
utilisé, ce qui lui avait peut-être sauvé la vie. Georgia lui avait expliqué que c'était Philip qui fournis-
sait le charretier et les chevaux de bât pour le transport des marchandises de contrebande depuis les
Quatre-Vents jusqu'à Londres. D'après cette lettre,
Philip devait préparer les voitures. Le message avait-
il un tout autre sens que celui qu'on pouvait lui
attribuer à première vue ?

Pour la première fois, le duc s'avisa que Ravenscroft jouait peut-être un rôle dans le trafic de contrebande de Caroline. Sa conviction que l'homme en
gris dirigeait les opérations avait été si forte qu'il
n'avait pas pensé que quelqu'un d'autre pouvait
seconder Caroline en se chargeant des démarches très
compliquées nécessaires pour vendre le cognac, le
thé et les autres marchandises en fraude.

Il étudiait toujours le billet quand Pereguine
entra dans la pièce.

— Bonjour, Trydon, dit-il. Es-tu bien reposé ?

200

— Pas tout à fait, répondit le duc en souriant.

Il raconta à son ami son incursion dans la maison de Caroline, sa découverte de la confession de Charles parmi d'autres lettres et l'arrivée inopinée de Caroline.

— Je n'ai eu que le temps de me jeter sur le lit, expliqua-t-il, et de faire semblant de l'attendre.

— Bonté divine ! s'exclama Pereguine. A-t-elle été étonnée de te voir ?

— Elle était ravie. Depuis que j'ai hérité mon titre, elle n'a cessé de manœuvrer pour me reprendre dans ses filets. J'ai eu d'elle d'innombrables invitations et des amis communs ont insinué bien souvent que l'enfant prodigue serait accueilli à bras ouverts.

— En tout cas, elle a dû penser que c'était un retour très original, commenta Pereguine. Elle t'a questionné ?

— Sans beaucoup d'insistance, répliqua le duc.

Il songea avec dégoût aux lèvres de Caroline qui avaient cherché les siennes, à son parfum exotique qui ne réveillait que trop le souvenir du passé ; à sa voix, aiguë et rendue plus coupante par l'âge, qui répétait sans arrêt combien elle était ravie de le voir.

Il s'était demandé avec gêne comment se dégager quand, à son soulagement, une voix cria d'en bas le nom de Caroline. Une voix d'homme.

— Caroline ! Vous en mettez du temps ! Où diable est la clef de la cave ?

— Ravenscroft ! s'exclama le duc.

Caroline avait hoché la tête.

— Je vais le renvoyer, chuchota-t-elle.

— Non, ne fais pas cela, dit le duc vivement.

— Alors, attends-moi ici, proposa Caroline. Je te monterai une bouteille de vin. Il ne restera pas longtemps ; nous avons eu une longue journée et il est fatigué. D'autre part, il ne s'intéresse pas à moi. Plus maintenant.

— Pourquoi est-il donc ici ?

— Parce que je lui suis utile et que nous sommes des amis de longue date.

« Caroline ! ». La voix d'en bas était impérieuse.

— Va, ordonna le duc. Tu ne peux pas te permettre d'offenser de vieux amis.

— Mais tu m'attendras ici ? supplia Caroline. Je ne serai pas longue, je le jure.

Elle s'approcha avec l'intention de l'enlacer à nouveau mais le duc, s'étant levé, la prit par le menton et lui redressa la tête pour plonger son regard dans le sien.

— Pourquoi t'intéresses-tu à moi, Caroline ? demanda-t-il. Tu m'avais congédié sans espoir de retour, tu te souviens ?

Elle baissa les yeux.

— C'était... c'était cruel et désobligeant, reconnut-elle, mais je ne pouvais pas faire autrement. Ravenscroft avait... a barre sur moi. Tu as toujours compté pour moi plus que n'importe qui. Il faut que tu me croies, Trydon. Les autres étaient riches et utiles. Mais toi... tu es un homme.

Le duc sentit que pour une fois elle disait la vérité et il aurait été presque navré pour elle s'il ne s'était rappelé le claquement de la main de Caroline sur la joue de Georgia.

« Caroline ! ». La voix d'en bas tonnait.

— Va, dit-il.

Elle appuya un instant sa tête contre l'épaule du jeune homme, puis elle quitta précipitamment la pièce en criant :

— Me voici ! Me voici !

Le duc lui laissa juste le temps d'arriver au rez-de-chaussée, puis il descendit à son tour l'escalier, silencieux comme un chat, et traversa à tâtons le salon. La fenêtre était restée ouverte comme il l'avait laissée. Il l'enjamba et glissa le long de la gouttière jusque dans la ruelle. Le gros paquet de lettres fourré dans sa veste lui procurait une satisfaction particulière.

Quand le duc eut fini son récit, Pereguine ramassa les enveloppes et les empila en tas bien net sur la table à écrire.

— Elle leur pompe toujours jusqu'au dernier sou, dit-il pensif. Mon cousin s'est fait sauter la cervelle quand elle l'a chassé après avoir épuisé tout le crédit qu'il pouvait obtenir. Il était harcelé par les huissiers et se sentait incapable d'affronter la prison pour dettes. Si jamais femme mérite le nom de meurtrière, c'est bien Caroline.

— Tu ne m'avais jamais raconté ça.

— Je n'en étais pas particulièrement fier, mon

vieux. J'estime qu'il faut être idiot pour se laisser saigner à ce point-là par une femme.

Le duc songea avec un certain malaise que lui-même avait fait preuve d'une bonne dose d'idiotie.

Désireux de changer de sujet, il demanda :

— Que penses-tu de ceci ?

Il tendit à Pereguine la lettre de Lord Ravenscroft.

Pereguine la lut.

— Je ne vois pas ce qu'elle a d'extraordinaire. Caroline passe son temps à donner des réceptions. La plupart tournent d'ailleurs à l'orgie.

— Philip est le nom de l'homme qui dirige les opérations de contrebande aux Quatre-Vents, dit le duc avec lenteur.

Pereguine siffla entre ses dents.

— Tu soupçonnes donc... ?

— Je me le demande seulement, répliqua le duc.

— Selon des rumeurs que j'ai entendues, reprit Pereguine, un certain nombre d'équipes de contrebandiers seraient dirigées par un homme du monde. Nous savons bien que ces gens n'ont pas les moyens matériels nécessaires pour financer eux-mêmes ces expéditions. On chuchote que quelqu'un le fait sur une grande échelle. Est-ce que ce ne serait pas Ravenscroft ?

— C'est bien possible, répondit le duc.

Il quitta le bureau et s'approcha de la fenêtre.

— Toute cette histoire est horriblement déplaisante, reprit-il en regardant dehors. De quelque côté qu'on se tourne, on trouve toujours plus de mystère, plus de choses inexpliquées. Et je te le dis, l'idée que cette fille y est mêlée ne me plaît pas du tout.

— Georgia ? questionna Pereguine.

— Georgia, confirma le duc. Ce n'est qu'une gamine et elle n'est pas de taille à se mesurer avec des requins de cette espèce. J'ai le sentiment que nous n'aurions pas dû l'entraîner dans cette aventure. Il faudrait la protéger. Elle est trop bien pour tremper dans des histoires pareilles.

Derrière le dos de son ami, Pereguine haussa les sourcils, mais s'abstint de tout commentaire.

Pourtant, au déjeuner à Grosvenor Square, il eut l'impression que Georgia était plus capable de faire face aux difficultés et au danger que ne le croyait le duc.

Quand les domestiques eurent quitté la pièce, la douairière demanda :

— Quels sont vos projets, messieurs ? Je pensais que nous pourrions aller à Almack, ce soir.

— Oh, grand-mère ! Est-ce indispensable ? s'exclama Pereguine. Je suis las à mourir de toutes ces dames tyranniques et cancanières. La dernière fois que j'y suis allé, Lady Jersey a eu l'audace de me faire danser avec une fille hideuse que je ne connaissais même pas.

— Nous essayons de vous rappeler vos obligations sociales, déclara la douairière.

— En tout cas, je suis opposé à aller à Almack, insista Pereguine.

— Moi, au contraire, j'estime que c'est une bonne idée, dit le duc. Si ce Jules circule dans la haute société comme nous le supposons, il y a des chances qu'il soit à Almack. En tout cas, j'y verrai peut-être un autre monsieur sur qui j'aimerais mettre un nom.

Il pensait à l'homme en gris.

— Peu nous importe qui vous souhaitez voir, commenta la douairière sévèrement. Georgia veut montrer sa robe neuve et moi je veux montrer Georgia. Nous irons à Almack vérifier si cette petite fait sensation.

— Oh, je vous en prie, ne mettez pas trop d'espoir en moi ! dit Georgia d'un ton suppliant. Je ne sais pas danser. Je n'ai aucune idée de la façon dont il faut se tenir dans une compagnie aussi distinguée. Je vous ferai honte. Peut-être vaudrait-il mieux que je me déguise en mendiante et me poste à l'entrée pour observer les gens qui entrent.

Le duc et Pereguine se mirent à rire à l'unisson.

— Telle que vous voilà, s'écria Pereguine, la moitié des hommes vous inviteraient à entrer avec eux.

— C'est une chose que vous ne m'auriez pas dite hier, répliqua Georgia, taquine.

La douairière la regarda, une lueur de malice dans les yeux.

— Les vêtements changent l'apparence, déclara-t-elle, mais intérieurement on ne change pas. Vous êtes la même jeune femme qui est arrivée ici hier soir avec une mine fatiguée et effrayée, et couverte de poussière à un point incroyable.

— C'est vrai ? dit Georgia — et en parlant c'est vers le duc qu'elle s'était tournée.

— Je ne vois pas de différence, répliqua-t-il en la regardant droit dans les yeux.

Pendant un bref instant, quelque chose frémit entre eux, quelque chose qui fit que Georgia retint sa respiration et que le duc resta parfaitement immobile. Puis, d'un ton âpre plus élevé qu'on ne s'y serait attendu, il ajouta :

— Je me demande ce que votre mari pensera de votre transformation quand il reviendra.

CHAPITRE IX

L E DÉJEUNER FUT JOYEUX. POUR LA première fois depuis bien des années, Georgia se sentit gaie et à l'aise avec des gens de son âge. Oubliant sa méfiance à l'égard du milieu auquel appartenaient le duc et son ami, elle rit des remarques spirituelles de Pereguine et des taquineries qu'il échangeait avec le duc assis en face de lui.

La douairière riait aussi et les encourageait. En dépit de son âge, on comprenait fort bien pourquoi elle avait eu tant de succès dans sa jeunesse, où elle avait été célèbre pour son esprit et sa gaieté. Ils riaient tous d'une réflexion de Pereguine quand la porte s'ouvrit et un valet de pied à perruque poudrée s'approcha de la douairière, portant une lettre sur un plateau d'argent.

— De Carlton House, M'lady.

La douairière prit l'enveloppe cachetée par un énorme sceau.

— Voici probablement votre invitation à la réception de Son Altesse Royale pour demain soir, Georgia, dit-elle.

Elle ouvrit la lettre, braqua son face-à-main et poussa une exclamation.

— C'est encore mieux !

— Quoi donc, grand-mère ? s'enquit Pereguine.

— Le prince nous convie à dîner avec lui ce soir, expliqua la douairière. Je l'avais informé de notre intention de nous rendre à Almack pensant que peut-être Son Altesse Royale voudrait y venir à la fin de la soirée comme elle le fait si souvent.

— Grand-mère, tu es rusée comme un renard ! s'écria Pereguine. Tu sais très bien que tu cherchais à allécher ce cher *Prinny* et il a mordu à l'hameçon !

— Je fais de mon mieux, déclara la douairière d'un ton sévère que démentait la malice de son regard, pour présenter Georgia aux personnes de *bon ton*. Quoi de plus avantageux pour une jeune femme que d'être patronnée par le prince de Galles pour sa première soirée à Londres ?

— Il est certain qu'un dîner à Carlton House, si mortellement ennuyeux que ce soit, mettra Georgia en vedette, admit Pereguine.

— Je ne m'ennuierai pas, protesta Georgia qui trouvait que Pereguine critiquait bien gratuitement les projets de son aïeule.

— Bien sûr que non, acquiesça la douairière. Le prince sait se montrer charmant quand il le veut et il est toujours l'amabilité et la grâce même en ce qui me concerne.

— Je me demande pourquoi, dit son petit-fils.

Sa grand-mère le regarda et sourit.

— J'ai fait sauter le prince sur mes genoux quand il était enfant, mais, ce qui compte plus encore peut-être, j'ai été très aimable pour Mrs. Fitzherbert quand il s'est épris d'elle. Ils se sont retrouvés souvent ici à des occasions où j'étais malheureusement absente de la maison.

Pereguine renversa la tête en arrière en riant.

— Grand-mère, tu es incorrigible ! Tu ne peux pas résister au plaisir de tremper dans une intrigue et tu seras dans ton élément ce soir quand tu présenteras Georgia comme un ours apprivoisé à Son Altesse Royale et demain quand tu iras répéter à tous les échos de Londres qu'il l'a admirée.

— Il l'admirera, répliqua d'un ton ferme la vieille dame, et sans que j'aie besoin d'insister, tu peux m'en croire.

Georgia rougit : elle ne s'habituait pas aux compliments. Jamais dans ses rêves les plus fous elle n'avait imaginé que quelqu'un pourrait l'admirer, à plus forte raison l'héritier du trône d'Angleterre.

Assise à la table, les yeux brillants, elle se rendit compte avec un peu d'embarras que le duc l'observait.

— Emue ? demanda-t-il.

— C'est tellement ahurissant, répliqua-t-elle. Je dois continuellement me pincer pour m'assurer que je ne rêve pas.

— Si vous avez tous fini de déjeuner, reprit la douairière, je vais aller écrire une lettre de remerciements à Son Altesse Royale, je lui avais indiqué avec qui je sortirais ce soir et j'avais dit que vous nous escorteriez, Trydon.

— J'en suis ravi, répliqua celui-ci en s'inclinant.

La douairière le regarda, parut vouloir ajouter quelque chose, puis se ravisa. Elle se dirigea vers la porte en se contentant de dire à Georgia :

— Je vais envoyer tout de suite une voiture chez Mme Bertin. Je lui avais dit que nous n'aurions pas besoin de votre robe de gala avant demain, mais il faut que vous l'ayez pour ce soir. Et vous ferez bien de vous reposer un peu avant l'arrivée du coiffeur. En tout cas, nous ne devons pas nous mettre en retard, car le prince dîne toujours très tôt.

Elle ouvrait la porte quand la voix du duc l'arrêta.

— Me permettez-vous de dire quelques mots en particulier à Georgia, madame ? demanda-t-il. J'ai une chose importante à lui communiquer.

— Bien entendu, Trydon, répondit-elle, mais ne la gardez pas trop longtemps. Je veux qu'elle soit en beauté ce soir et elle est déjà fatiguée par la séance de ce matin chez la couturière.

— Je la retiendrai le moins possible, promit le duc qui, se tournant vers Georgia, proposa : — Si nous allions dans la bibliothèque ?

— Oui, certes, acquiesça-t-elle, se demandant avec inquiétude ce qu'il voulait lui dire. Etait-il arrivé une catastrophe ? Peut-être le cadavre du Français avait-il été découvert, ce qui avait éveillé la curiosité des douaniers ou des gardes-côtes ?

Comme le duc refermait la porte de la bibliothèque derrière eux, elle leva vers lui une petite figure pâle et soucieuse. Elle avait enlevé sa capote et le soleil, passant à travers les hautes portes-fenêtres qui ouvraient sur un petit jardin d'agrément, illuminait ses cheveux blonds, ce qui lui faisait comme un halo autour du visage. Ses yeux, dilatés par l'anxiété de ce qu'il allait lui apprendre, paraissaient plus grands que de coutume. Ses lèvres rouges tremblaient un peu quand elle questionna :

— Qu'est-ce qui se passe ?

Le duc la considéra un instant d'un air méditatif. Se secouant presque comme si ses pensées étaient ailleurs, il répliqua :

— J'ai quelque chose à vous donner... un cadeau.

— Un cadeau pour moi ?

La voix de Georgia vibra instinctivement, puis elle ajouta aussitôt :

— Non, il ne faut rien me donner. Cela me trouble déjà profondément que Sa Seigneurie insiste pour payer mes robes. Je sais que je ne pourrais pas les avoir autrement, mais je ne dois pas accepter de personnes étrangères tant de choses de valeur.

— Je ne suis pas une personne étrangère, protesta le duc. D'ailleurs, mon cadeau n'a pas de valeur intrinsèque.

— Qu'est-ce que c'est donc ?

En réponse, le duc sortit d'une poche intérieure une feuille de papier qu'il lui tendit.

La prenant d'un air perplexe, elle aperçut la confession griffonnée par son frère. Elle l'examina avec incrédulité, puis elle poussa un petit cri.

— C'est... le billet de Charles... qu'il avait écrit à ma belle-mère, balbutia-t-elle, et... et vous l'avez ! Mais comment ? Comment avez-vous pu le... le récupérer ?

— Je ne poserais pas trop de questions si j'étais vous, conseilla le duc. Contentez-vous du fait qu'il est maintenant en votre possession. Désormais, Charles est libre.

— Libre ? Oh, Trydon, Trydon, que puis-je dire ? s'exclama Georgia.

Elle regarda de nouveau le papier comme si elle avait peine à croire qu'il était réel. Puis, aveuglément, sans réfléchir, elle s'avança vers le duc et lui jeta les bras autour du cou.

— Merci, merci ! s'écria-t-elle. Comment pourrai-je jamais vous remercier ?

Sa voix se brisa et elle cacha sa figure contre l'épaule du jeune homme en s'agrippant à lui. Il comprit qu'elle pleurait. Il l'entoura de ses bras et la pressa contre lui.

— Ne pleurez pas, Georgia. Il n'y a pas de raison de pleurer. C'est fini. Elle ne peut plus rien contre vous.

— Je n'arrive pas à y croire ! dit Georgia entre deux sanglots. Si vous saviez comme... comme j'avais peur... Que de nuits blanches j'ai passées... à me tracasser pour Charles. A trembler à l'idée de... de ce que je devais faire pour... pour le sauver. Et maintenant... maintenant...

Elle ne parvenait pas à retenir ses larmes et le duc sentait trembler son corps svelte. C'était la réaction normale après tant de mois de chagrin et de terreur : il se rendait compte rétrospectivement de ce qu'elle avait dû souffrir.

— Tout va bien, dit-il d'un ton apaisant. Le cauchemar est terminé. Vous êtes libres tous les deux, Charles et vous.

Elle leva la tête vers lui ; les larmes perlaient comme des gouttes de rosée au bout de ses longs cils et ses joues étaient humides.

— Merci, dit-elle d'une voix à peine plus haute qu'un murmure. Merci... merci.

Le duc sortit son fin mouchoir bordé de dentelle pour essuyer avec douceur son visage. Elle ne semblait pas s'apercevoir qu'elle était toujours dans ses bras, la tête appuyée contre son épaule.

— Je ne peux toujours pas croire que c'est vrai, murmura-t-elle.

Le duc pencha la tête.

— Oubliez tout, dit-il. C'est du passé maintenant.

Ses lèvres se posèrent sur la joue de Georgia.

Il la sentit frémir, puis elle se libéra et s'écarta en lui tournant le dos pour essuyer ses yeux avec le mouchoir du duc. Elle contempla longuement le papier qu'elle tenait et finalement demanda presque avec violence :

— Est-ce que nous pourrions... brûler ça ?

— Bien sûr, dit le duc.

Il prit un briquet sur le bureau, alluma une des chandelles et tendit la main vers Georgia. Elle lui donna la lettre et le regarda présenter à la flamme l'extrémité du papier : il brûla jusqu'au bout. Le duc jeta les débris calcinés dans l'âtre où ils se réduisirent en cendres sur le foyer de marbre.

— Nous sommes libres ! s'écria Georgia avec une soudaine allégresse. Libres... je vous en suis profondément reconnaissante.

— Comme je l'ai déjà dit, répliqua le duc, oubliez même que c'est arrivé !

— Mais ma belle-mère, qu'a-t-elle dit ? Comment l'avez-vous persuadée ?

— Votre belle-mère, pour autant que je le sache, ignore que cette confession a disparu.

— Vous voulez dire... questionna Georgia, les prunelles dilatées.

— Vous êtes cause, voyez-vous, que je deviens un criminel. D'abord, vous m'apprenez à faire de la contrebande et me voilà voleur !

— Vous l'avez volée ! s'exclama Georgia. Comme c'est courageux de votre part ! Vous êtes sûr qu'elle ne vous dénoncera pas si elle s'aperçoit du vol ?

— Je crois qu'elle aurait du mal à expliquer comment pareil document se trouvait en sa possession.

— Oui, bien sûr. Je n'avais pas pensé à cela.

— J'imagine donc qu'elle ne parlera pas de cette perte... et certainement pas à vous. Mais vous n'êtes plus obligée de lui obéir.

Georgia fut secouée d'un léger frisson.

— Elle me fait toujours peur, avoua-t-elle.

— C'est simplement la force de l'habitude, parce que vous avez été longtemps sous sa domination, mais elle ne peut plus vous nuire désormais, sinon en dilapidant l'argent de votre père.

— J'ai l'impression qu'elle l'a déjà dépensé. Oh, si seulement Charles était là, il saurait que faire. Il restait en mer parce qu'il n'osait plus rentrer chez nous, mais rien ne l'y contraint plus maintenant.

— Il faut que nous essayons de transmettre la nouvelle à Charles, dit le duc en souriant.

— Vous pourriez ? Vraiment ? questionna Georgia. Mais comment se fait-il que vous ayez tant d'influence... et que vous veniez avec nous ce soir ? Je croyais que vous vous cachiez.

Le duc s'appuya de la main au manteau de la cheminée et contempla l'âtre vide.

— J'ai quelque chose à vous confesser, Georgia.

— Vous avez d'autres ennuis ?

— Non, à moins que vous ne vous fâchiez contre moi et cela, je le reconnais, me causerait beaucoup de peine.

— Pourquoi serais-je fâchée ? S'agit-il de quelque chose que vous avez fait ?

— En un sens, oui.

— Après la bonté que vous avez témoignée à mon égard... et à l'égard de Charles, je ne pourrais vous tenir rigueur de rien, quoi que vous ayez fait, si grave que ce soit. Vous devez comprendre que nous sommes à tout jamais vos amis. Nous ne pouvons pas vous abandonner quelle que soit la nature de vos difficultés.

Le duc prit sa main dans la sienne.

— Merci, Georgia, dit-il, et, inclinant la tête, il lui baisa le bout des doigts.

Il les sentit trembler sous ses lèvres avant de relever les yeux et de croiser son regard. Pendant un instant, ils restèrent tous les deux immobiles... puis le sang monta lentement dans les joues pâles de Georgia ; elle baissa les yeux et le duc lâcha sa main.

— Ce que j'ai à vous dire, reprit-il, vous surprendra, car je ne suis pas tout à fait ce que vous pensiez.

— Vous n'êtes pas Trydon Raven ? Vous m'avez donné un faux nom ?

— C'est bien mon nom, mais je suis plus connu sous un autre.

— Quel est-il ? demanda-t-elle.

— Je suis le duc de Westacre, répondit-il.

Elle sursauta légèrement et il comprit à son expression que c'était la dernière chose à laquelle Georgia s'attendait.

— Le duc de Westacre, répéta-t-elle d'une voix lente. Mais, alors, vous n'êtes pas dans l'embarras ? Vous vous êtes moqué de moi ?

— Pas du tout ! protesta le duc. Je fuyais bien la maison dont j'étais l'hôte. Je l'ai quittée en pleine nuit pour des raisons que je préférerais ne pas expliquer. Je ne vous ai pas trompée, Georgia.

— Je pensais que vous aviez peut-être maille à

partir avec les huissiers pour dettes ou encore avec la police, dit-elle. Je ne m'imaginais pas que vous étiez un personnage important puisque vous voyagiez seul à cheval au beau milieu de la nuit.

— J'avais mes raisons, répéta le duc, et je vous assure qu'elles n'avaient rien d'imaginaire ou d'exagéré.

— Vous vouliez vraiment vous enfuir ? insista-t-elle.

— Oui, répliqua-t-il. Je fuyais un piège, pour tout dire. Un piège bien tendu dont les conséquences auraient été désagréables au possible si je m'y étais laissé prendre.

Elle resta un instant silencieuse puis, d'une toute petite voix :

— Ce genre de piège ne peut avoir été tendu que par une femme.

— Vous êtes trop perspicace. Ne posez pas de questions, Georgia. Vous n'aimez pas que je vous questionne.

— Je ne vous ai pas menti, répliqua-t-elle. Je vous ai dit la vérité.

— C'est exact, reconnut le duc, mais moi non plus je ne vous ai pas menti. Je vous ai dit que j'avais des ennuis, ce qui était vrai, et je vous ai dit que mon nom était Trydon Raven. C'est toujours mon nom, encore que j'en aie hérité pas mal d'autres en plus.

— Duc ! murmura Georgia. Je vois très bien pourquoi vous avez fui et quelle sorte de piège c'était. Vous êtes, je suppose, ce que la douairière

appelle un *parti* très enviable du point de vue matri-
monial.

— Je le répète, vous êtes trop perspicace, répondit le duc.

— Mais c'est bien pour cela que vous avez fui,
n'est-ce pas ? insista-t-elle. Vous fuyiez une femme ?

— Toutes les femmes, rétorqua le duc. J'avais dit
à Pereguine que j'en avais assez et que je ne voulais
plus rien avoir à faire avec le beau sexe, mais voyez à
quoi cette résolution m'a conduit... à transporter des
fûts de cognac de contrebande sous les ordres d'une
femme.

Il riait, mais Georgia dit très sérieusement :

— Je suis désolée.

— Moi pas. Sur le moment, j'étais furieux et ma
colère n'a fait que croître et embellir quand vous
m'avez enfermé dans la cachette du prêtre. Mais à
présent la situation est bien différente : j'ai réussi à
vous rendre service ; j'ai détruit l'emprise de votre
belle-mère sur vous et nous avons encore une tâche à
accomplir, vous et moi, pour le salut de notre
patrie.

— Oui, certes. Il ne faut pas l'oublier.

Elle ne le regardait pas, elle parlait d'un ton froid
et il devina qu'elle s'était repliée sur elle-même. Il
lui saisit la main au moment où elle se détournait.

— Ecoutez, Georgia, dit-il d'une voix pressante, je
suis toujours celui en qui vous aviez confiance,
celui avec qui vous avez ri et bavardé et à qui vous
vous êtes confiée pendant le trajet pour venir à
Londres. Les titres et les hautes positions n'ont rien

de mauvais ni d'effrayant sauf si l'on néglige les responsabilités qu'ils impliquent. Je sais que vous avez naguère rencontré des gens de l'aristocratie peu recommandables. Laissez-moi vous prouver que tous ne sont pas des êtres indignes, mais bien des hommes normaux, corrects, dont il n'y a pas lieu d'avoir peur.

Il n'avait pas fini de parler que le regard de Georgia se posa sur son visage. Il avait l'impression qu'elle cherchait quelque chose à croire, quelque chose en quoi elle pourrait mettre sa confiance.

— Vous avez raison, dit-elle lentement. C'est stupide de ma part, mais chaque fois que je pense à quelqu'un de titré, je me rappelle... je me rappelle Lord Ravenscroft.

— C'est encore une de ces choses que vous devez oublier, avec le passé.

— J'essaierai, promit Georgia sans grande conviction.

— Et voulez-vous essayer de penser à moi non comme à un duc mais comme à Trydon... un homme comme votre frère Charles, un homme qui veut que vous soyez heureuse ?

Un brusque sourire illumina le visage de Georgia.

— Vous êtes la gentillesse même, et je me conduis comme une sotte. Oui, j'essaierai d'oublier que vous êtes duc et de me rappeler seulement ce que vous avez fait pour Charles et pour moi.

De nouveau, le duc porta sa main à ses lèvres.

— Merci. Permettez-moi de prendre congé. Je

dois discuter avec Pereguine de ce que nous ferons ce soir, car il y a de fortes chances que le prince nous accompagne à Almack maintenant que la douairière lui a mis cette idée en tête.

— Et si nous y allons ? questionna-t-elle.

— Alors, nous verrons peut-être le Français que nous cherchons. Il est nécessaire que nous nous mettions d'accord sur un signal par lequel vous nous indiquerez, à Pereguine et à moi, l'homme que vous avez transporté. Le désigner du doigt ou de toute autre manière risque de lui faire comprendre qu'il est reconnu et de le mettre sur ses gardes. Auquel cas il disparaîtrait, ce qui serait désastreux.

— Oui, bien sûr. Vous me direz comment je dois procéder. D'autre part, il faut que j'aie la certitude qu'il s'agit bien de lui. Mais je suis persuadée que je le reconnaîtrai si je le revois. Il avait un visage caractéristique.

— Ne vous tracassez pas pour cela. J'aimerais que vous jouissiez de cette soirée sans arrière-pensée. Si nous devons trouver l'espion dans la haute société comme nous le soupçonnons, ce sera plutôt parmi les centaines d'invités de la grande réception de Carlton House, demain soir.

— J'espère seulement ne pas vous décevoir.

— Cela vous serait impossible, répliqua le duc d'une voix calme.

Il sortit de la pièce sans se retourner. Elle resta longtemps les yeux fixés sur la porte après qu'il l'eut franchie.

Elle avait l'impression de sentir encore ses lèvres

sur sa main et sur sa joue. Elle se secoua légèrement et se dirigea vers la porte-fenêtre ouvrant sur le jardin. Il était duc et pourtant, bien que la nouvelle lui eût causé un choc, Georgia sentait que cela ne changeait pas grand-chose. Il était toujours Trydon Raven, l'homme à qui elle s'était fiée presque malgré elle et qui l'en avait récompensée en ôtant le fardeau de malheur qui pesait sur ses épaules depuis si longtemps qu'elle avait du mal maintenant à s'en croire libérée.

Nounou avait eu raison, il était de bonne naissance ; elle avait eu raison aussi en disant qu'on pouvait lui faire confiance à l'heure du danger. Georgia se demanda comment il avait repris la lettre à sa belle-mère, comme il avait su où la chercher et comment il avait été en mesure de la subtiliser sans que Caroline s'en aperçoive.

C'étaient là des questions dont elle n'obtiendrait jamais la réponse, elle le devinait. Le duc était d'une nature réservée et, étant donné son caractère, elle savait que jamais il n'aborderait certains sujets avec elle.

Depuis combien de temps contemplait-elle le jardin inondé de soleil avec sa fontaine de pierre et sa statue de faune ? Elle n'aurait pas su le dire mais, soudain, la porte s'ouvrit derrière elle et un valet de pied annonça :

— Lady Grazebrook.

Georgia se retourna tout d'une pièce et porta instinctivement la main à sa poitrine pour contenir l'affolement subit de son cœur. Caroline était là, vêtue à la dernière mode, avec une capote à la haute calotte ornée de plumes rouges, presque caricaturale, et un châle sur sa robe de satin du même ton de rouge.

— C'est donc vrai, dit-elle d'une voix cassante qui retentit dans la pièce. Je n'en croyais pas mes yeux quand je vous ai vue sortir de cette boutique de Bond Street avant le déjeuner, aujourd'hui. Mme Bertin m'a affirmé qu'une certaine Mistress Baillie séjournait chez Lady Carrington douairière et je suis venue m'assurer que c'était exact.

Georgia avait les lèvres sèches, mais elle réussit à répondre d'un ton assez ferme :

— Oui, je suis ici, comme le voit Votre Seigneurie.

— Mais pourquoi ? Comment avez-vous fait votre compte ? Qu'est-ce que cela signifie ? Qui vous a invitée ?

Caroline crachait littéralement ses mots. Elle s'avança dans la pièce en regardant autour d'elle.

— Quelle élégance ! Je savais bien que la douairière était riche, mais comment avez-vous fait sa connaissance ? Et comment êtes-vous venue ici ? Il n'y a pas quarante-huit heures que je vous ai laissée aux Quatre-Vents.

— J'ai été invitée à séjourner chez Lady Carrington, répliqua Georgia.

— A séjourner chez elle ? répéta Caroline. Elle vous a parée de tous ces atours ? Pour quelle raison ? Elle ne peut pas s'intéresser à vous comme *parti* pour son petit-fils. Vous êtes mariée et qui donc en vérité, à moins d'être faible d'esprit, envisagerait un mariage quelconque pour vous ?

— Lady Carrington s'est montrée très bonne, déclara Georgia d'un air réservé. Je ne vois pas en quoi cela vous concerne, car vous ne vous êtes jamais inquiétée jusqu'à présent de mon sort.

— Pour moi, vous viviez à la campagne, rétorqua Caroline. Je ne veux pas vous laisser venir à Londres fréquenter des gens qui ne me considèrent pas comme assez bien pour eux. Vous allez retourner là-bas immédiatement ! Immédiatement, vous m'entendez ? Et vous laisserez ici ces robes dont Sa Seigneurie a cru bon de vous attifer. Cela ne vaut rien pour vous de vous faire des idées au-dessus de votre condition.

— Quelle est donc ma condition ? dit Georgia. Convoyeuse de marchandises de contrebande à travers la Manche ? Est-ce là ce qui doit être ma seule situation dans la vie ?

— Ne me parlez pas sur ce ton ! cria Caroline. Vous voilà toute changée. Il y a quelque chose de bizarre ! Je me demande quoi. C'est déjà incroyable que vous soyez ici. Qui vous a amenée ? Car je ne crois pas que vous ayez fait le voyage seule.

— Cela ne vous regarde pas, répliqua Georgia. Vous avez signifié clairement depuis la mort de mon père que vous ne vous intéressiez pas à moi. Vous avez utilisé les Quatre-Vents pour servir à vos propres fins, qui n'étaient pas particulièrement recommandables d'ailleurs. Vous m'avez frappée, brimée, écrasée sous votre autorité d'une façon qui dépassait les bornes. Tout cela est fini, je ne vous obéirai plus, vous ne pouvez plus rien contre moi.

— Je ne peux rien ! s'exclama Caroline d'une voix aiguë. Avez-vous oublié ce que je détiens ? Est-il sorti de votre cervelle d'oiseau que, si je remettais la confession de Charles à l'Amirauté, on l'arracherait à son bateau après l'avoir ignominieusement chargé de chaînes ?

— J'ai l'impression que ces messieurs de l'Amirauté ne vous écouteraient pas, dit Georgia.

Elle avait recouvré son sang-froid et sa voix était maintenant assurée. Le fait que sa belle-mère n'avait plus de pouvoir sur elle lui donnait du courage, bien sûr, mais à cela s'ajoutait que, pour la première fois de sa vie, elle parlait à sa belle-mère d'égal à égal en sachant qu'elle n'avait plus l'air humble, fagotée et provinciale.

Elle aperçut furtivement son reflet dans le miroir et se rendit compte que comparée à l'autre elle était plus jeune, plus élégante et en vérité plus belle, bien qu'elle osât à peine se l'avouer.

— Il est arrivé quelque chose, répéta Caroline à mi-voix. Vous êtes différente. Pourquoi n'avez-vous plus peur ? Est-ce que Charles est mort ?

Georgia secoua la tête.

— Non pas ! Je pense que mon frère se porte on ne peut mieux. A présent, je crois préférable que vous partiez, madame. Vous n'avez pas été invitée à venir ici et je ne voudrais pas outrepasser les bornes de l'hospitalité qui m'a été accordée en introduisant des étrangers dans la maison.

— Des étrangers ! bredouilla Caroline. Je ne suis pas une étrangère, je suis votre belle-mère. Si vous désirez être présentée dans le monde, c'est mon rôle de le faire.

— Et qui paierait ? questionna Georgia. Je ne vous vois pas fouillant dans votre bourse pour moi et j'imagine qu'une présentation dans le monde coûte un joli denier.

— Alors, qui paie pour vous ? rétorqua Caroline.

— Lady Carrington s'est montrée la générosité même, dit Georgia.

— C'est un complot, un complot pour m'humilier ! s'écria Caroline hors d'elle. Oh ! vous vous trouvez peut-être très importante maintenant, vous vous donnez des airs, vêtue comme vous l'êtes, à parader dans une maison comme celle-ci. Mais attendez un peu, attendez que je prenne la confession de votre précieux frère et que je la remette à ceux qui le puniront... et vous avec.

— Que faites-vous de votre participation à la contrebande ? demanda froidement Georgia. Il ne sera pas difficile de découvrir où les chevaux de bât sont allés en partant des Quatre-Vents chargés de tonnelets de cognac. Une fois l'enquête commencée, il y aura sûrement des témoins prêts à dire ce qu'ils ont vu et entendu. A votre place, je me méfierais avant d'impliquer ma personne — et naturellement mes amis — car il ne sera pas difficile de prouver que moi j'ignore ce qu'il advient des marchandises une fois qu'elles sont déposées dans la cave.

227

Georgia eut la satisfaction de voir Caroline blêmir en partie de peur, en partie de colère.

— Je vous briserai pour cela, menaça-t-elle d'une voix basse mais véhémente. Je vous briserai quand ce serait la dernière chose que je ferais de ma vie. Il y a quelque chose que je ne comprends pas dans cette histoire, mais j'en découvrirai le fin mot... soyez sûre que j'en découvrirai le fin mot !

Elle tourna les talons et ouvrit la porte avec violence. Georgia l'entendit s'éloigner dans le vestibule de marbre. Maintenant que Caroline était partie, elle s'avisa qu'elle tremblait de la tête aux pieds. La rencontre l'avait obligée à paraître beaucoup plus brave qu'elle ne l'était réellement. Maintenant, elle se sentait sur le point de s'évanouir !

Elle prit un flacon en or contenant des sels qui se trouvait sur une petite table et le porta à ses narines ; mais elle l'avait à peine respiré qu'elle le reposait déjà.

« Tu n'as aucune raison d'avoir peur, se dit-elle à haute voix. Elle ne peut rien faire, absolument rien ! »

Georgia éprouva soudain le désir de courir vers Trydon pour lui raconter ce qui s'était passé et pour s'entendre répéter qu'elle était vraiment libre et que Charles n'était plus en danger. Elle avait réagi courageusement en présence de sa belle-mère, mais elle comprenait que la peur ne l'avait pas quittée.

Elle se prit à évoquer l'impression de force qu'elle avait ressentie quand le duc l'avait serrée dans ses bras ; elle se remémora le parfum de sa veste quand elle y avait posé son visage. En baissant les yeux, elle aperçut sur un des fauteuils le mouchoir qu'il lui avait donné pour essuyer ses larmes. D'un geste machinal, elle le ramassa ; il était en batiste très fine et dans un coin elle vit un monogramme surmonté de la couronne ducale en feuilles de fraisier. Elle le considéra un long moment, poussa un léger sanglot et, quittant la pièce en courant, elle monta dans sa chambre.

QUATRE heures plus tard, Georgia descendait le vaste escalier recouvert d'un tapis. Elle se rendit compte que Pereguine et le duc, qui étaient dans le vestibule, la regardaient avec l'expression qu'elle avait souhaité voir dans leurs yeux. Sa robe de gaze brodée scintillait à chaque pas. Son écharpe d'argent, bordée de marabout bleu pervenche de la couleur exacte de ses yeux, laissait apparaître un magnifique collier de diamants que la douairière lui avait attaché au cou quand Georgia était allée la retrouver dans sa chambre.

— Puisque vous êtes mariée, mon petit, dit la douairière, vous pouvez porter des diamants. Sinon vous n'auriez eu droit qu'à un seul rang de perles. Le mariage a ses avantages, voyez-vous !

Georgia avait ri.

— Même un seul rang de perles m'aurait paru merveilleux, répondit-elle. Cela... c'est trop beau.

— Rien n'est trop beau, riposta la douairière, et

si vous n'aviez pas eu l'air tellement jeune, je vous aurais prêté une tiare. Mais elle vous écraserait. Les fleurs qu'André a fixées dans vos cheveux sont beaucoup plus seyantes et seront assorties aux boucles en forme d'étoiles que je vais vous donner pour vos oreilles.

— Vous êtes si bonne pour moi, madame, comment puis-je témoigner ma gratitude ?

— En remportant un succès ce soir, répondit la douairière. On dit toujours que tout ce que je touche se change en or, vous savez. On a raison ! L'ordinaire ne m'intéresse pas, surtout chez les gens. Vous êtes de l'or, mon enfant, de l'or pur ! Je l'ai compris dès que je vous ai vue.

— Merci, murmura Georgia.

— Quel dommage que vous soyez mariée, poursuivit la vieille dame. J'aurais aimé vous trouver un mari convenable. Trydon par exemple. Il est temps qu'il se marie. Sa marraine m'en parlait justement la semaine dernière.

— Je suis surprise que Sa Grâce ne soit pas mariée, en effet, dit Georgia.

Lady Carrington éclata de rire.

— Trop de belles-de-nuit coûteuses et de femmes mariées séduisantes !

— Des femmes mariées ? répéta Georgia.

Elle avait soudain l'impression, sans savoir pourquoi, qu'une main de glace s'était posée sur son cœur.

— Ma foi, oui, dit la douairière en riant. Elle

ajouta en aparté à l'intention de sa femme de chambre : — Non, non, ma fille, ne soyez pas sotte ! Ce nœud est beaucoup trop sur la gauche. Voyons, où en étais-je ?... les femmes mariées ! A un moment donné, c'était Lady Valerie Voxon, mais maintenant elle est devenue comtesse de Davenport et elle fait les yeux doux à Trydon comme à tout ce qui porte culotte.

— Est-ce qu'elle était... est-ce qu'elle est très belle ? questionna Georgia à mi-voix.

— Une beauté, une vraie beauté, ma foi, répliqua la douairière. Mais Valerie n'a pas l'entrain que j'avais dans ma jeunesse. Voilà ce qui cloche chez les jeunes femmes d'aujourd'hui. Elles sont belles mais elles manquent d'entrain. Un homme se lasse de voir toujours en face de lui le même joli minois. Il veut une femme qui ait du caractère... comme vous, ma chère. Votre mari a de la chance, il ne s'ennuiera pas avec vous. Est-ce que vous l'aimez beaucoup ?

La question prit Georgia par surprise.

— Oui... oui, bien sûr, balbutia-t-elle.

— Ah, comme je le disais, quel dommage que je ne puisse vous marier ! répliqua la douairière. Peu importe, amusez-vous, quand on est vieux c'est pour longtemps.

La voix de Lady Carrington s'étouffa soudain et elle considéra son reflet dans le miroir.

— Que de lignes, que de rides ! si seulement on pouvait remonter le cours du temps ne serait-ce que pour une heure ! J'aurais aimé que vous me voyiez dans les beaux jours de ma jeunesse. Mes soupirants prétendaient que le soleil pâlissait quand j'entrais dans la pièce. Les autres femmes ne pouvaient pas me sentir ! J'étais toujours la reine des bals auxquels j'assistais.

— Je n'en doute pas, dit Georgia en souriant et elle ajouta, poussée par une curiosité irrésistible :
— Croyez-vous que... que le duc continue à aimer Lady Davenport ?

— Aimer... qui parle d'amour ? rétorqua la douairière d'un ton bref. Une toquade peut-être. Il y a aussi une autre femme qu'il a fréquentée, son nom m'échappe. Une créature plutôt commune mais assez belle. Les hommes, comme les enfants, ont besoin de se faire les dents sur quelque chose de dur, mais ce n'est pas de l'amour. Quand vient l'amour, les mondanités sont bien oubliées, le bonheur n'a pas d'histoire.

Il y avait un frémissement dans la voix de la vieille dame qui incita Georgia à demander doucement :

— Vous êtes tombée amoureuse, madame ?

— Souvent, répondit la douairière, mais cela n'a compté qu'une seule fois. Nous sommes partis pour la campagne, mon mari et moi, et nous avons vécu ensemble vingt-trois années merveilleuses jusqu'à sa mort dans un accident de chasse. Mon fils a été tué deux ans plus tard dans un duel, un geste chevaleresque stupide, inutile, qui lui a coûté la vie. Pereguine est tout ce qui me reste. J'espère qu'un jour il trouvera la femme de sa vie, quelqu'un avec qui lui aussi oubliera le monde et son train.

— Je l'espère aussi, dit Georgia avec un peu de nostalgie.

— Et vous, questionna la vieille dame, avez-vous trouvé l'homme de votre vie ?

Avant que Georgia ait eu le temps de répondre, on frappa à la porte.

— Qui est-ce ? demanda la douairière à sa femme de chambre. On ne peut donc jamais avoir un moment de paix dans cette maison ?

La femme de chambre alla à la porte.

— C'est seulement pour vous prévenir que ces messieurs sont arrivés et attendent en bas.

La douairière se tourna avec animation vers Georgia :

— Descendez, mon petit. Je veux qu'ils vous voient. Marchez avec grâce, tenez la tête haute. Cette robe demande à être portée avec une certaine allure. J'avais pensé qu'elle vous donnerait l'air sophistiquée, mais vous avez toujours votre air candide d'oisillon tombé du nid. Pas moins séduisant pour autant, d'ailleurs.

Georgia se sentait intimidée quand elle sortit sur le palier. Si la vieille dame s'était trompée ? Si Pereguine et, naturellement, le duc ne l'admiraient pas autant qu'elle l'avait espéré ?

— Mon Dieu ! s'écria Pereguine. Est-ce bien la même personne qui est venue chez moi et qui semblait sortir de *l'Opéra de Quat'sous* ?

233

— C'est bien la même, répondit-elle. J'espère que vous n'avez pas honte de moi.

Son regard restait fixé sur le visage de Pereguine ; après le premier coup d'œil du haut de l'escalier, elle ne trouvait pas la force de se contraindre à regarder le duc.

— Vous êtes sensationnelle ! affirma Pereguine. Vous les stupéfierez tous. S'il y a jamais eu une Incomparable, c'est vous, Georgia, je vous le dis la main sur le cœur. N'es-tu pas de cet avis, Trydon ?

Georgia fut alors obligée de se tourner vers le duc. Il se tenait là, très grave ; son regard plongea dans les yeux de Georgia et exprima tout ce que sa langue ne disait pas.

— Nous n'aurons pas à rougir de vous, déclara-t-il simplement. Puis, comme s'il se forçait à changer d'humeur, il ajouta d'un ton brusque : — Venez dans le petit salon. Je veux vous parler à tous les deux.

Ils lui obéirent et traversèrent le vestibule. Un valet de pied leur ouvrit la porte.

— Ecoutez, commença le duc quand ils furent seuls, il y a une petite chance que nous apercevions notre homme à Almack. Si vous le voyez, Georgia, vous irez vers moi ou Pereguine, selon qui sera le plus proche de vous, et vous direz : « Il fait très chaud ici, croyez-vous pouvoir demander au monsieur en habit, bleu, rouge ou rose, suivant la couleur, d'avoir l'obligeance d'aller me chercher un flacon de sels ? »

— Cela me paraît bien entortillé, mon vieux ! s'exclama Pereguine.

— Qu'est-ce que tu proposes d'autre ? questionna le duc avec une certaine irritation. Georgia ne peut tout de même pas le désigner du doigt.

— Non, évidemment, convint Pereguine. Bon, je pense que ça peut aller à moins, bien sûr, que nous soyons assez loin de lui.

— Ce qu'il faut éviter surtout, c'est de mettre notre homme sur ses gardes, reprit le duc.

— Tu as raison, répliqua Pereguine. En tout cas, faites de votre mieux, Georgia.

— J'essaierai, dit-elle simplement.

— Et tâchez de ne pas oublier, dit Pereguine en riant. Vous allez être le point de mire de tous les regards, ce soir. Je prévois que tous les hommes vont se précipiter pour vous débiter des compliments, vous baiser la main et vous faire les yeux doux. Ces choses-là, c'est comme le champagne, cela monte à la tête.

— Je n'oublierai pas, promit Georgia avec un petit rire.

Elle leva les yeux vers le duc.

— Vous ne m'avez pas dit si vous aimiez ma robe.

Elle avait essayé d'adopter un ton léger, presque de flirt, mais il fut seulement pathétique. Pendant un instant, leurs regards se croisèrent, puis le duc détourna les yeux et se dirigea vers la porte qu'il ouvrit.

— Mes applaudissements ne feront que s'ajouter à la masse des autres, je pense, répliqua-t-il avec sécheresse.

Ce fut pour Georgia comme si toutes les lumières du vestibule s'éteignaient subitement.

CHAPITRE X

LA VOITURE DE LA DOUAIRIERE ETAIT rembourrée d'un capitonnage ultra-moderne et la suspension en était si douce que Georgia fut étonnée de la rapidité avec laquelle, en dépit de la lourdeur apparente du véhicule, ils traversaient Carlos Place en direction de Berkeley Square.

Elle vit les bijoux de Lady Carrington scintiller dans la clarté de la lanterne que portait le laquais escortant la voiture et des flammes dansantes des torchères fixées aux portes des maisons. Elle s'émerveilla de voyager dans cette voiture luxueuse, en compagnie de trois membres du *beau monde*, alors que quelques jours plus tôt elle était giflée et humiliée par sa belle-mère.

Georgia osait à peine remuer de peur de gâter l'élégance et la beauté de sa robe neuve : elle aussi scintillait aux lumières de la rue. En levant les yeux, Georgia s'aperçut que le duc, assis en face d'elle, la considérait avec une expression qu'elle trouva bizarre. Subitement gênée, elle tourna vivement la tête vers la douairière.

— Tout cela est nouveau et passionnant pour moi, madame, j'espère seulement ne pas commettre d'impair, car je n'ai pas l'habitude de fréquenter des gens d'une aussi haute situation que ceux que je vais voir ce soir.

— Ne vous tracassez pas à cause du prince, répliqua la douairière. Il aime les jolis minois et vous dira certainement les choses les plus flatteuses du monde. Le seul danger vient de Lady Hertford, qui se montre de plus en plus possessive à l'égard de Son Altesse. En fait, je n'oserais certes pas le dire en dehors de cette voiture, mais je préférais de beaucoup la réserve et la dignité de Maria Fitzherbert.

— Je crois que c'est toi, grand-mère, dont Lady Hertford sera jalouse, dit Pereguine. Tu sais que le prince est un de tes flirts.

La vieille dame rit.

— A dire vrai, Pereguine, je suis aussi excitée ce soir qu'une jeune fille se rendant à son premier bal, pas pour mon propre compte, mais parce que j'ai quelqu'un de jeune et de séduisant à chaperonner. J'ai toujours détesté les vieilles de mon âge, elles m'ennuient à mourir. Je regrette souvent de ne pas avoir une fille à présenter à la cour, cela m'aurait donné beaucoup de satisfaction.

— Tu aurais été la pire marieuse de Londres, dit son petit-fils d'un ton taquin.

— Et j'aurais certainement gagné la course au

238

mari, répliqua la douairière. Si j'avais eu une fille, Trydon, je vous assure qu'à l'heure qu'il est je vous aurais déjà forcé à la conduire à l'autel.

— Si elle vous avait ressemblé, madame, il n'aurait pas été nécessaire de m'y contraindre, répondit le duc.

La douairière fut ravie.

— Flatteur ! s'exclama-t-elle. Mais c'est bien dommage que ma charmante Georgia soit mariée, cela me prive de tirer des plans pour son avenir.

— Cette impossibilité où tu es de tirer des plans nous fait pousser un soupir de soulagement, à Trydon et à moi, tu peux le croire, répliqua Pereguine. Je t'ai dit depuis des années, grand-mère, que lorsque je me marierai ce sera avec une jeune fille qui aura été choisie par moi et non par toi. Quant à Trydon, après sa dernière aventure, il a renoncé aux femmes à tout jamais.

— Quelle aventure ? questionna la douairière avec curiosité.

— Pereguine dit des sottises, intervint précipitamment le duc. Je vous prie de ne pas l'écouter, madame. Il n'y a pas plus hâbleur que lui.

— Je te confierai dans le creux de l'oreille ce qui s'est passé, grand-mère, dit Pereguine malicieusement, mais je t'assure qu'on avait tendu un très joli piège à notre ami le duc. Il a heureusement eu la grande habileté de l'éviter en jouant les poltrons et en détalant à toutes jambes.

— Tu ne vas tout de même pas me traiter de poltron ! protesta le duc avec humeur. Que diable,

Pereguine, parle de tes propres affaires, pas des miennes !

— Je voulais seulement te taquiner, dit son ami d'un ton un peu contrit, se rendant compte qu'il était allé trop loin.

— Ne faites pas attention à ce bavard, dit le duc à l'adresse de Georgia et non de la douairière.

Si elle entendit, elle n'en témoigna rien. Elle regardait par la portière. La nuit était soudain sombre et humide, l'atmosphère avait perdu un peu de sa gaieté et de son animation. Sans savoir pourquoi, Georgia avait l'impression d'être enveloppée d'un nuage de dépression. Elle sentait seulement qu'elle était triste et elle regretta un instant de ne pas être aux Quatre-Vents avec sa nourrice, sans réception mondaine à affronter.

Elle avait constamment devant les yeux le visage de l'espion français tel qu'il lui était apparu à la lueur de la lanterne. Le reconnaîtrait-elle ? Quelle certitude avait-elle que des dizaines d'hommes, avec le col d'une cape noire leur masquant presque le menton et un chapeau abaissé sur le front, ne ressembleraient pas à cet espion ?

Georgia éprouva une panique momentanée. Si elle l'avait osé, elle aurait supplié la douairière d'arrêter la voiture ou de faire demi-tour pour la ramener à Grosvenor Square.

« J'ai tout de l'imposteur, songea-t-elle. Je suis ici sous un prétexte mensonger, car je suis persuadée de ne pas reconnaître cet homme. »

Comme s'il devinait instinctivement ce qu'elle ressentait, le duc se pencha et posa sa main sur celle de Georgia. Pendant un instant, ses doigts frémirent comme s'ils cherchaient à s'échapper puis, machinalement, elle répondit à la chaleur de son étreinte.

— Tout va bien, dit-il. Inutile d'avoir peur. Il ne se passera rien ce soir et, même si nous allons à Almack, il y a peu de chances qu'il soit là-bas. Amusez-vous, pensez à autre chose.

La douairière les observait de ses yeux perçants auxquels rien n'échappait, mais elle s'abstint de tout commentaire. Pereguine aussi. Pendant une seconde, Georgia oublia les autres occupants de la voiture pour se sentir seule avec le duc qui lui parlait avec douceur d'un ton rassurant comme il l'avait fait dans la petite auberge où ils s'étaient arrêtés en venant à Londres.

— C'est que j'ai peur de ne pas le reconnaître, dit-elle d'une voix à peine audible.

— N'ayez crainte, répondit le duc. La mémoire est une chose bizarre : parfois, on est sûr d'avoir oublié quelque chose d'important mais un regard, un geste, un mot suffisent à réveiller brusquement le souvenir.

— Et si nous ne le trouvons pas, dit Georgia.

— Nous le trouverons, répliqua le duc avec assurance. Rappelez-vous qu'il ne faut pas lui laisser voir qu'il a été identifié. Il est peu probable qu'il se souvienne de vous.

— Oui, admit Georgia qui sourit en dépit de son anxiété.

— Voilà qui est mieux ! intervint d'un ton bref la douairière. Je ne veux pas que ma soirée soit gâchée par toutes ces intrigues à dormir debout. Si vous voulez mon avis, vous nagez en plein romanesque tous les trois. Je ne crois pas un instant qu'on veuille assassiner le prince, à moins d'être fou, et en tout cas pas à Carlton House, où Son Altesse est entourée par ses meilleurs amis. Oubliez les absurdités que ces nigauds vous ont fourrées dans la tête, Georgia, et amusez-vous. Souvenez-vous que vous serez de loin la plus belle de l'assistance.

Le duc lâcha la main de Georgia et se radossa à son siège. Elle avait les doigts tout chauds du contact avec les siens et ne se sentait plus déprimée ni même effrayée. La douairière avait raison : l'affaire se révélerait peut-être beaucoup d'émotion pour rien ; vêtue comme elle l'était maintenant et en pareille compagnie, il lui était difficile de croire qu'elle avait bravé l'obscurité et les dangers de la Manche pour transporter en Angleterre un des espions de Bonaparte.

Les chevaux s'arrêtèrent en s'ébrouant devant un portique et Georgia, comme dans un rêve, eut la vision fantastique d'un vaste vestibule à colonnades et d'un majestueux escalier tournant ; de fresques et de lambris dorés ; de niches contenant des bustes, des statues, des griffons et des urnes ! Il y avait une véritable armée de valets de pied revêtus de somptueuses livrées à boutons dorés et parements de dentelle d'or. Elle gravit l'escalier à la suite de la douairière et pénétra dans un salon tendu de soie de Chine jaune, meublé à la chinoise.

Quand le prince recevait ses amis intimes, il se dispensait de faire une entrée solennelle et s'installait à l'avance dans le salon pour accueillir ses hôtes à leur arrivée. A côté de lui se tenait Lady Hertford, toute rondeurs et courbes, couverte de dentelles, de rubans et d'une quantité immodérée de bijoux. Elle avait un visage jeune, sans rides, vraiment inattendu chez une femme qui était grand-mère, et des mains grasses et blanches qui semblaient irrésistiblement attirées vers le prince. Elle était toujours en train de lui caresser ou de lui tapoter le bras pour montrer l'intimité de leurs relations.

La douairière plongea dans une profonde révérence devant le prince qui porta sa main à ses lèvres.

— Il est délicieux de vous voir, madame, dit-il. Voici trop longtemps que nous avons été privés du plaisir de votre compagnie.

— Votre Altesse Royale est gracieuse à l'extrême comme toujours, répliqua la douairière. Je suis enchantée au plus haut point de vous voir si belle mine et plus élégant que jamais.

Georgia avait entendu dire que le prince ne résistait jamais à un compliment et, si elle n'avait pas été si intimidée, elle aurait été amusée par la satisfaction qui se peignait sur le visage assez bouffi de Son Altesse Royale. Déjà elle attirait son attention.

— Et voilà la nouvelle beauté que vous m'avez annoncée ? demanda-t-il, tandis que ses grands yeux saillants l'examinaient, pensa Georgia, comme si elle était un cheval à la foire.

— Permettez-moi, monseigneur, de vous présenter Mistress Georgia Baillie, dit la douairière.

Georgia plongea jusqu'à terre dans une révérence qu'elle avait répétée assidûment dans sa chambre tout en s'habillant pour le dîner.

— Charmante ! Charmante ! dit le prince. Vous avez raison, Lady Carrington, comme d'habitude. C'est une beauté, vraiment. Elle donnera aux potineurs de St. James de quoi bavarder demain.

— Sans aucun doute, puisqu'elle a l'approbation de Votre Altesse Royale, répondit la douairière dont le regard pétillait.

A sa surprise, Georgia sentit les doigts boudinés du prince lui caresser la paume avant de lui lâcher la main.

— Il faut que nous vous voyions souvent, Mistress Baillie, dit-il, puis, comme si cela lui coûtait, il se tourna vers le duc qui était près d'elle.

— Heureux de vous voir, Westacre. Où vous cachiez-vous donc, ces dernières semaines ? Ou bien est-ce que Carlton House ne vous plaît plus ?

Il y avait comme une note d'humeur dans sa voix : le prince ne supportait pas l'idée que ses amis puissent avoir un autre centre d'intérêt que lui-même.

— J'ai dû quitter Londres pour affaire, monseigneur, répliqua le duc. Ce n'est pas quelque chose dont je peux vous entretenir maintenant, mais j'aurai une nouvelle de grande importance à communiquer plus tard à Votre Altesse Royale.

244

— Une nouvelle de grande importance, hein ? répéta le prince.

Ayant été délibérément écarté de toutes les affaires d'Etat par le roi depuis tant d'années qui lui avaient paru bien longues et monotones, il était toujours intrigué et ravi à la pensée que quelque chose d'important requît son attention.

— Bien, bien, dit-il, en posant la main lourdement sur l'épaule du duc. Il faudra que vous m'en parliez plus tard. Je n'oublierai pas.

— Merci, monseigneur, dit respectueusement le duc.

Pereguine fut accueilli à son tour. Comme d'autres invités arrivaient, le prince s'avança vers eux. Georgia regardait autour d'elle, examinant le visage des personnes présentes, quand un nom prononcé par le majordome la fit sursauter et se retourner tremblante vers le duc.

« Lord Ravenscroft ! »

Le nom semblait retentir dans toute la pièce. Georgia eut un instant l'impression qu'elle devait fuir, sans savoir où ni comment.

— Du calme, il ne vous reconnaîtra pas.

C'était le duc qui parlait, d'une voix coupante. presque comme s'il commandait ses soldats à la parade. Elle leva vers lui des yeux affolés dans un visage que toute couleur avait abandonné.

— Vous en êtes sûr ? chuchota-t-elle.

— Parfaitement sûr. Il ne s'attend pas à vous trouver ici. Même s'il vous reconnaît, que peut-il

faire sinon être poli et garder ses distances ? J'y veillerai.

— Vous... vous me protégerez ?

C'était la voix d'une enfant apeurée, effrayée par
l'obscurité et des fantômes presque plus réels que la
réalité.

Le duc sourit et ses lèvres prirent soudain une
expression très tendre.

— Je vous protégerai, Georgia, dit-il très bas.
Vous le savez bien.

Elle leva les yeux vers les siens et, de nouveau, un
courant s'établit entre eux, un courant qui ramena
le sang à son visage, qui fit sauter son cœur dans sa
poitrine et précipiter le souffle entre ses lèvres
entrouvertes. Pendant un instant, tout s'effaça ; ils
étaient seuls, deux jeunes gens dans un monde qui
était soudain enchanteur et doré, vibrant d'une
étrange musique qui semblait venir du fond d'eux-
mêmes.

— Georgia, je veux vous présenter Lord Den-
man.

La voix de la douairière rompit l'enchantement.
Georgia détourna la tête avec l'impression de choir
du haut d'une montagne dans le creux de la val-
lée.

Elle considéra d'un œil quelque peu voilé
l'homme entre deux âges, à la poitrine constellée de
décorations, que lui présentait la douairière. Elle dit
une banalité et donna apparemment la réponse
appropriée à une question qu'il lui posa. Mais elle
savait que quelque chose de capital venait de se

produire, quelque chose qu'elle ne savait même pas s'expliquer ou formuler clairement. Comme dans un rêve, elle fut encore présentée par la douairière à une douzaine de personnes. Elles avaient dû décrire un cercle presque complet, car elles se retrouvèrent finalement auprès du prince. Georgia l'entendit déclarer :

— Vous connaissez mon vieil ami, le comte St. Clare, n'est-ce pas, my lady ? Il faut qu'il fasse la connaissance de votre jolie Mistress Baillie... Le comte Jules St. Clare.

Georgia s'inclina dans une révérence avec l'impression que la foudre venait de tomber dans la pièce. Elle sentit que l'homme à qui elle avait été présentée lui baisait la main ; elle l'entendit murmurer « *Enchanté* » et comprit qu'il ne l'avait pas reconnue en voyant qu'il la regardait distraitement.

Elle crut pendant une seconde que ses jambes allaient refuser de la porter. Puis, tandis que le comte échangeait quelques mots avec la douairière, elle réussit — sans avoir l'air de se dérober — à s'approcher de Trydon. Il bavardait avec un homme à l'air distingué, en uniforme de général, et elle attendit un instant en silence que le général eût fini sa phrase.

— Excusez-moi, dit-elle en forçant ses lèvres sèches à esquisser une manière de sourire.

— Oui, qu'y a-t-il ?

La question du duc ne fut qu'un murmure car il

devinait à l'expression de Georgia que quelque chose était arrivé.

— L'homme qui est avec la douairière, dit-elle, oubliant ce dont ils étaient convenus.

— L'homme en gris ? questionna le duc.

Sans attendre la confirmation de Georgia, il sut que l'identité de l'homme ne faisait aucun doute.

C'était l'homme en gris qu'il avait vu aux Quatre-Vents par le petit judas de l'escalier. C'était l'homme en gris à qui Caroline avait annoncé que la traversée était prévue pour la nuit suivante. Bien sûr que c'était lui ! Pourquoi n'y avait-il pas pensé plus tôt ? Quelqu'un qui s'était insinué dans les bonnes grâces du prince, quelqu'un qui vivait peut-être en Angleterre depuis de nombreuses années. Dans le bref instant où le duc regarda de l'autre côté de la pièce, il saisit tout le complot.

L'homme en gris, déjà *persona grata* auprès du prince, déjà accepté dans la haute société, était à la solde de Napoléon. Il avait franchi la Manche avec une autre équipe de contrebandiers pour se rendre en France, il avait vu Napoléon et il avait établi son plan pour l'assassinat du prince. Ce pouvait être une idée suggérée par lui d'ailleurs : en effet, qui mieux que lui connaissait la folie du roi, la crise politique et le chaos qu'un tel acte provoquerait ? Il était alors retourné en Angleterre avec l'équipage de Georgia pour attendre les instructions ultérieures de l'Empereur.

— Vous le voyez ?

La voix de Georgia interrompit la reconstitution des événements que le duc faisait mentalement.

— Oui, je le vois, dit-il. Montrez-vous naturelle. Il faut que je vous présente à quelqu'un.

Sans attendre son accord, il se tourna vers la personne la plus proche et, découvrant qu'il s'agissait de Lady Hertford, il porta la main de la dame à ses lèvres.

— Par ma foi, madame, vous devenez plus jeune et plus belle chaque fois que j'ai l'honneur de vous rencontrer, dit le duc. Je commence à croire que vous avez vendu votre âme au diable en échange du secret de l'éternelle beauté.

Lady Hertford eut un petit gloussement de rire. C'était le gloussement de coquetterie qui ravissait le prince.

— Il doit y avoir du sang irlandais dans les veines des Westacre, répliqua-t-elle, car vous êtes bien flatteur, mais je suis heureuse que Votre Grâce soit de retour. Le prince se languit de vous quand vous n'êtes pas là.

— Je suis honoré en vérité, répondit le duc en esquissant un petit salut. Puis-je me permettre de présenter à Votre Seigneurie Mistress Georgia Baillie qui est ici sous le chaperonnage de Lady Carrington douairière ?

— Je suis ravie de faire votre connaissance, dit Lady Hertford, mais sa voix était froide et le regard qu'elle posa sur le petit visage triangulaire de Georgia était dur.

— Ce n'est qu'une réception intime, ce soir, dit-elle au duc comme si Georgia était une interruption vite liquidée. Son Altesse tenait à ne recevoir que ses meilleurs amis. En fait, nous serons à peine plus de vingt-cinq.

— C'est donc un grand privilège d'y assister, répliqua courtoisement le duc.

De ce qui fut dit pendant les cinq autres minutes qui précédèrent l'annonce du dîner, Georgia n'en eut aucune idée. Elle était seulement consciente de la présence dans la pièce de deux hommes dont la pensée seule la faisait frissonner : Lord Ravenscroft et l'homme en gris. Lord Ravenscroft n'avait pas paru regarder de son côté mais, quand le prince offrit son bras à Lady Hertford pour passer dans la salle à manger, elle entendit la voix grasse et onctueuse qui avait hanté ses rêves pendant une année entière déclarer :

— Je ne me trompe pas... c'est Georgia, la petite Georgia Grazebrook.

Elle crut qu'elle allait s'évanouir d'horreur sous le coup de cette rencontre, puis un courage qu'elle ne se connaissait pas la sauva.

— Vous vous trompez, my lord, dit-elle. Je ne suis plus Georgia Grazebrook. Je suis mariée.

Ce fut peut-être pure imagination, mais il lui sembla lire une certaine contrariété sur le visage dissolu de Sa Seigneurie.

— Votre mari est ici ? questionna-t-il.

— Il est en mer, répondit-elle.

Dès qu'elle eut parlé, elle se rendit compte qu'elle avait commis une erreur en lui donnant ce renseignement, car l'expression qu'elle redoutait tant apparut dans les yeux de Ravenscroft.

— Vous êtes encore plus ravissante que l'autre fois, dit-il. Maintenant que vous êtes à Londres, il faut que nous nous voyions un peu. Je viendrai vous rendre visite demain.

— Je... je n'y serai pas, répliqua Georgia sans trop savoir ce qu'elle disait. — Son affectation d'assurance et de sophistication cédait sous la pression des événements.

— Je saurai vous trouver, dit Lord Ravenscroft.

Elle se sentit submergée par cette terreur qui l'avait accablée si longtemps. Elle était incapable de lui répondre ; elle ne pouvait que le regarder avec une expression de dégoût, à la façon d'un lapereau fasciné par un serpent. Enfin quelqu'un s'interposa entre elle et l'homme qu'elle haïssait.

— J'ai reçu mission de vous conduire à table, dit suavement la voix de Pereguine. J'ai la bonne fortune d'être assis à votre droite.

Elle glissa son bras sous celui de Pereguine avec l'impression que, sans cet appui, elle serait tombée.

— Vous avez l'air tout drôle, remarqua Pereguine avec le franc parler d'un frère. Ça ne va pas ?

— C'est ce... cet homme, parvint à murmurer Georgia.

— Quel homme ? Il est ici ? demanda Pereguine.

— Oui, il est ici, mais ce n'est pas lui qui me bouleverse, c'est Lord Ravenscroft.

— Ah, ce malotru ! Il n'y a pas plus lâche et plus minable que cet individu. Pourquoi le prince l'invite dans ses réceptions, je ne l'ai jamais compris.

Ils avançaient lentement, en procession, vers la salle à manger. Georgia sentit son assurance revenir à mesure qu'ils s'éloignaient de Lord Ravenscroft, car la voix insouciante et gaie de Pereguine rendait léger tout ce qui lui paraissait grave et terrifiant.

— Ne vous mettez pas sens dessus dessous à cause de cet homme, reprit-il. Trydon lui réglera son compte. Parlez-moi de l'autre. Qui est-ce ?

Ces derniers mots furent prononcés d'un tel ton de conspirateur que Georgia ne put s'empêcher de sourire.

— L'homme en gris, répliqua-t-elle.

— Comment ? Le comte St. Clare ? Vous devez vous tromper ! Voyons, il est considéré comme appartenant au *bon ton* et pas mal de gens l'estiment tout à fait convenable pour un Français.

— C'est bien lui, confirma gravement Georgia.

— Par Jupiter ! jura Pereguine quand les implications de ce qu'elle disait eurent pénétré dans son cerveau. Est-ce que Trydon est au courant ? questionna-t-il quand ils entrèrent dans la salle à manger.

— Je le lui ai dit.

La salle à manger, tapissée d'argent, était soutenue par des colonnes de granit rouge et jaune. C'était une harmonie étrangement colorée et bien éloignée de ce que Georgia imaginait être le décor d'un palais royal. Elle se retrouva assise à la longue table avec Pereguine à sa droite et, à sa gauche, le vieux général à qui elle avait été présentée par la douairière.

Le prince était assis au haut bout de la table, avec Lady Hertford à sa droite et Lady Carrington à sa gauche. Lord Ravenscroft occupait la place d'honneur à l'autre extrémité, encadré par deux femmes assez belles. Mais, tout au long du repas, Georgia ne put s'empêcher de constater que ces dames ne parvenaient pas à retenir son attention.

Les mets servis sur des plats d'or avaient beau se succéder, elle avait conscience qu'il ne la quittait pas des yeux. Si délicate que fût la chère, Georgia lui trouvait uniformément un goût de cendre. Elle se disait avec l'effroi dont elle avait si longtemps souffert qu'il mettrait à exécution la menace chuchotée à la porte de sa chambre. « Il ressemble à un animal répugnant, songea-t-elle, sûr de sa force et de sa ruse, certain que, si longue que doive être son attente, sa proie ne pourra lui échapper. »

Elle promena ses regards dans la grande salle en quête de réconfort. Le duc, comme il convenait à son rang, occupait une place plus honorifique. Il était séparé du comte St. Clare par une dame portant une tiare d'opales serties de perles. Lady Hertford appelait peut-être cela une réception intime, mais il y avait vingt-huit personnes autour de la table au bois luisant, une innovation introduite par le prince qui avait répudié les nappes damassées utilisées d'ordinaire jusqu'au début du siècle.

La table était décorée d'énormes surtouts en or et

d'une quantité de minuscules orchidées blanches
tachetées de rouge. Pendant un instant, Georgia eut
l'impression de voir des gouttes de sang et elle ne
put réprimer un frisson. N'avait-elle pas commis une
erreur ? L'homme en gris, le comte qui passait pour
être aimé de tous, pouvait-il être le passager qu'elle
avait transporté à travers la Manche par une nuit
sombre voici trois semaines environ ? Ne se trom-
pait-elle pas ? Elle savait que non.

Il y avait quelque chose de bien particulier dans
les rides qui allaient de son nez à sa bouche, dans la
forme de son curieux visage. Elle s'était dit que
d'autres hommes pourraient lui ressembler, mais
maintenant elle comprenait qu'elle l'aurait reconnu
au milieu d'une foule.

Les services se succédaient, accompagnés de vins
différents qui étaient versés dans de hauts gobelets
de cristal gravé portant le chiffre royal. Au moment
du dessert, comme Georgia se disait avec soulagement que les dames allaient bientôt quitter la salle à
manger, le duc se pencha en avant.

— Me permettez-vous, monseigneur, demanda-t-il
au prince, de vous raconter une histoire qui, je
pense, intéressera toutes les personnes présentes ?

— Hein ? Une histoire ? s'enquit le prince.

Il était en train de chuchoter quelque timide
aparté à Lady Hertford qui avait levé son éventail
devant son visage comme pour dissimuler une rou-
geur pudique.

— Oui, une histoire, monseigneur, reprit le duc,

et qui a une grande importance puisqu'elle concerne Votre Altesse Royale.

— Elle me concerne vraiment ? répéta le prince, ravi à la pensée d'entendre parler de lui-même. Allez-y, Westacre, mais ne la faites pas aussi longue que les sermons dont me gratifie mon chapelain. J'ai l'intention de lui en toucher deux mots, un de ces jours.

— Je serai bref, promit le duc. L'histoire commence en France, Votre Altesse Royale, où Napoléon Bonaparte a reçu en audience il y a trois semaines environ un visiteur venu d'Angleterre.

— Comment, il a fait ça ? demanda le prince en se redressant sur son fauteuil. Comment diable s'y est-il pris ?

— Je vais vous le raconter, répliqua le duc, mais laissez-moi d'abord vous expliquer ce qui s'est dit dans cette très grave entrevue secrète avec Bonaparte. Le visiteur venu d'Angleterre avait un projet. Ce projet, Votre Altesse Royale, était de se débarrasser de quelqu'un d'extrêmement important et d'extrêmement précieux pour son pays. Cette personne, c'est vous.

Le prince en resta bouche bée.

— Se débarrasser de moi ? De quelle manière ? Qui vous a dit cela, Westacre ?

— Permettez-moi de continuer, monseigneur, répliqua le duc. Le complot fut considéré comme excellent parce qu'on pensait que votre mort en cette période — il marqua un temps, et tous songèrent au roi — provoquerait le chaos sur le plan

255

politique et pas mal d'agitation dans les forces militaires, notamment dans la Marine qui a une grande affection pour Votre Altesse Royale.

— Oui, c'est exact, elle m'aime bien, convint le prince. Mais m'assassiner, grands dieux, c'est vraiment inouï !

— Je me sens défaillir rien qu'à cette idée ! s'exclama Lady Hertford, mais voyant que personne ne s'intéressait à ses impressions elle se pencha en avant comme tous les autres convives, les yeux fixés sur le duc.

— Le visiteur de Bonaparte retourna en Angleterre, poursuivit celui-ci.

— Et comment diable s'y est-il pris ? s'écria le prince. Que fait donc Collingwood si les gens peuvent aller et venir sur la Manche comme si c'était Piccadilly ?

— Ce gentilhomme, dit le duc en choisissant ses termes, a fait la traversée avec les contrebandiers qui, Votre Altesse Royale le sait, mènent leur trafic avec un mépris impudent des douaniers, lesquels malheureusement n'arrivent guère à appréhender plus d'un dixième des trafiquants qui sillonnent la Manche.

Le duc s'interrompit pour jeter un regard circulaire sur les convives.

— Bien entendu, le gentilhomme en question eut son voyage facilité. Il avait un ami en Angleterre, un personnage possédant autorité et influence, qui organise une bonne partie de la contrebande — en fait, on pourrait presque dire la majeure partie du trafic. Rien de plus simple pour cet espion de Bonaparte, car il n'est pas autre chose, que de demander à son ami de le faire conduire sur la côte française et de le ramener de la même manière. Qui plus est, une fois en France, l'espion venu d'Angleterre a pris ses dispositions pour qu'un autre Français lui apporte un message de Bonaparte précisant si le meurtre devait être perpétré immédiatement ou à la convenance du gentilhomme. Vous voyez clairement, monseigneur, à quel point pouvait être utile cet homme qui dirige les bateaux de contrebande.

— Bonté divine ! Je n'ai jamais rien entendu de pareil ! s'écria le prince, et ses invités lui firent écho. Qui est cet individu ?

— C'est un Anglais. En fait, c'est quelqu'un qui est bien connu de Votre Altesse Royale. Son nom est...

Il y eut un brusque remue-ménage à l'autre bout de la table, un fauteuil repoussé tomba par terre et Lord Ravenscroft, le visage convulsé dans une expression de méchanceté presque diabolique, tira un petit pistolet d'une poche intérieure de son habit.

— Arrière ! menaça-t-il. Arrière, ne me touchez pas ! Je tue le premier qui porte la main sur moi ! Maudit soyez-vous, Westacre. Je ne comprends pas comment vous avez découvert que c'était moi. Soyez maudit et puissiez-vous rôtir en enfer !

Tout en parlant, il reculait vers la porte, mais Pereguine, se déplaçant avec une rapidité dont Georgia ne l'aurait pas cru capable, y fut avant lui.

Lord Ravenscroft, les yeux fixés sur les convives stupéfaits qui ne bougeaient pas plus que s'ils avaient été pétrifiés, se rendit compte que la retraite lui était coupée seulement lorsqu'il fut presque à la porte. Il se retourna et tira, mais Pereguine s'était baissé et la balle percuta le bois de la porte dont elle déchiqueta le panneau.

Les dames se mirent à crier et les hommes, soudain tirés de l'envoûtement qui les avait figés sur leurs sièges comme des statues, se dressèrent d'un bond. Ils n'eurent pas le temps de faire un pas qu'un second coup de feu retentissait. Lord Ravenscroft s'affaissa sur le sol. Pereguine, toujours adossé à la porte, tenait en main un pistolet fumant.

Un brouhaha s'éleva tandis que les gentilshommes se précipitaient. Mais le duc ne regardait pas dans la même direction : il surveillait l'homme en gris. Il le vit insérer la main dans son habit de brocart. Lady Hertford poussa un cri ; le prince médusé aperçut le mince et long stylet qui se dirigeait vers son cœur.

Le duc saisit alors la main qui tenait l'arme, fit pivoter le comte sur lui-même et le frappa au menton avec le poing d'un homme qui avait appris la boxe auprès des meilleurs spécialistes du ring.

Le comte parut bondir vers le plafond avant de retomber par terre inconscient, le stylet scintillant sur le tapis à côté de lui.

Le tohu-bohu fut à son comble jusqu'à ce que le général Darlington prenne la direction des opérations.

— Otez immédiatement ces créatures de la présence de Son Altesse Royale, ordonna-t-il aux domestiques affolés. Reprenez vos places, messieurs. Ce bruit est inconvenant.

Comme une douche d'eau froide, ces paroles firent taire les bavardages. Tous se tournèrent vers le haut bout de la table où le prince, le visage pourpre, essayait de reprendre son souffle tandis que Lady Hertford, la tête appuyée sur son épaule, sanglotait nerveusement dans son mouchoir.

Seule la douairière était assise droite comme un I, un sourire amusé aux lèvres et un pétillement dans ses yeux de vieille dame.

— Votre Altesse n'est pas blessée ? fut la question assez superflue que posa un gentilhomme de la garde.

— Je n'ai rien, rien du tout, répliqua le prince.

Le duc songea que Son Altesse Royale s'était comportée avec un courage et une maîtrise admirables.

— Votre Altesse Royale me permettra-t-elle d'implorer son pardon ? questionna Pereguine qui était debout près de son siège.

— Pourquoi donc ? s'enquit le prince avec un peu d'humeur.

— Pour avoir porté une arme en Votre Royale Présence, répondit Pereguine. Je n'ignore pas que c'est un délit, mais j'avais des raisons de penser qu'un incident comme celui-ci se produirait.

— Vous le pensiez, dites-vous ? s'exclama le prince.

— Pas de la part de Lord Ravenscroft, cela m'a surpris, répliqua Pereguine, mais je savais quand nous sommes passés à table que l'homme en gris était la créature choisie par Napoléon pour vous assassiner.

— Vous étiez d'accord avec Westacre, je le vois, dit le prince. Mais pourquoi diable, si vous saviez qui il était, ne l'avez-vous pas arrêté avant qu'il me menace ?

Le duc sourit.

— Votre Altesse Royale nous aurait-elle crus ? demanda-t-il. D'ailleurs, je n'imaginais pas qu'il avait l'intention de tenter son geste ce soir. En vérité, je suis persuadé que ce n'était pas dans ses intentions en venant ici : il y avait trop de monde, il n'aurait évidemment pas pu s'échapper. Mais dans la confusion provoquée par la mort de Lord Ravens-croft, il a pensé voir une chance de disparaître avant que personne ait compris qui vous avait tué.

Le prince sortit son mouchoir et essuya son front couvert de sueur.

— Vous m'avez sauvé la vie, Westacre, dit-il énergiquement. Je ne l'oublierai pas. Et maintenant que quelqu'un me donne un verre de cognac. J'en ai diantrement besoin après une émotion pareille.

Le cognac fut apporté, et Lady Hertford, toujours en larmes, conduisit les dames au salon où elles s'assirent et bavardèrent à tue-tête de ce qui s'était passé, chacune voulant raconter ce qu'elle avait vu, entendu et ressenti.

Georgia s'aperçut au bout d'un certain temps que son attention dérivait : sa tâche était maintenant terminée ; il n'y avait aucune raison pour qu'elle aille à

Almack ce soir ou n'importe quel autre soir ; aucune raison pour qu'elle assiste le lendemain à la réception de Carlton House ; les vêtements que la douairière avait commandés pour elle n'étaient plus utiles ; le duc la ramènerait aux Quatre-Vents et elle ne le reverrait plus jamais !

Comme ces pensées lui traversaient l'esprit, elle se rappela ce qu'elle avait éprouvé quand le duc s'était levé et avait empoigné l'homme en gris au moment où il s'apprêtait à frapper le prince. Elle avait eu peur, non pas pour ce dernier mais pour le duc et elle comprenait maintenant qu'elle l'aimait ; elle l'aimait d'un amour irrésistible qui la brûlait comme le feu.

Elle l'aimait de tout son être, en fait elle devait l'aimer depuis longtemps. Voilà pourquoi elle ressentait une telle impression de sécurité en sa présence ; pourquoi elle avait souhaité si désespérément qu'il l'accompagnât dans ce voyage en France ; pourquoi cette chevauchée à travers champs pour venir à Londres comptait parmi les heures les plus heureuses qu'elle eût jamais vécues.

Assise dans le salon chinois de Carlton House, entourée des dames qui pépiaient comme une volière d'oiseaux aux couleurs éclatantes, elle se laissa aller à sa rêverie. Elle sentait à nouveau les lèvres du duc sur sa joue et ses doigts. Elle aurait dû comprendre qu'elle l'aimait sans oser se l'avouer. Elle avait deviné que c'était de l'amour qu'elle éprouvait quand il s'était penché dans la voiture pour lui prendre la main et la rassurer.

261

Alors même que cet amour éveillait en elle une extase indicible, elle se dit qu'il était sans espoir. Elle ne pourrait jamais l'exprimer parce que jamais, au grand jamais, ils ne seraient l'un à l'autre. Elle sentit les larmes lui picoter les yeux et pendant un instant elle craignit de se mettre à pleurer. Puis, comme cela s'était déjà produit si souvent dans sa vie, l'orgueil vint à son secours. Elle l'aimait, mais lui ne devrait jamais s'en douter.

Elle n'eut conscience de rien d'autre pendant le reste de la soirée. Le prince lui montra quelques-uns des trésors qu'il avait accumulés dans Carlton House ; elle regarda les « chinoiseries » inestimables, les tableaux et les statues, mais elle ne voyait rien.

Elle ne s'avisa même pas que le prince la serrait de plus près qu'il n'était nécessaire ; il lui effleurait la joue et, une fois de plus, quand elle prit congé, il lui caressa la paume avec ses doigts gras. Elle n'était consciente que d'une personne, le duc : calme, maître de lui, bavardant et riant, il allait avec aisance d'un ami à l'autre et, pourtant, revenait inévitablement près d'elle.

La soirée s'achevait, les bonsoirs étaient échangés. Le prince remercia encore le duc, puis fit des recommandations à ses invités :

— Que les journaux n'apprennent rien de tout cela, dit-il. Je me fie à vous pour ne raconter à âme qui vive ce qui s'est passé ici ce soir. Laissons Bonaparte se demander ce qu'il est advenu de son complot, des gens qu'il a dépêchés pour m'assassiner. Il sera beaucoup plus éprouvant pour lui d'être dans l'incertitude que de savoir qu'il a échoué. Puis-je compter sur vous ?

Tous l'assurèrent qu'ils ne souffleraient pas mot de l'incident.

— Merci à tous pour votre courage et votre amitié indéfectible, conclut le prince.

Georgia descendit le vaste escalier de marbre derrière Lady Carrington. Comme elles atteignaient le vestibule aux colonnes de porphyre, un officier en uniforme de hussard franchit en courant la porte d'entrée.

— Bonté divine ! C'est Arthur ! s'exclama le duc. J'avais entendu dire que tu étais prisonnier. Que diable fais-tu ici ?

— Salut, Trydon. Je viens voir le prince, répondit l'officier. J'arrive à l'instant. J'ai été échangé contre deux amiraux de Napoléon... Jamais pensé avoir une telle bonne fortune. Je m'imaginais que j'allais moisir au fond d'une maudite prison française jusqu'à la fin de la guerre.

— Alors, vous avez vraiment de la chance, commenta la douairière.

— Je vous demande pardon, s'écria le duc. Lady Carrington, permettez-moi de vous présenter le colonel Arthur Goodwin, un vieil ami. Nous avons combattu ensemble dans la Péninsule.

— Jusqu'à ce que je commette la sottise de me faire capturer, compléta le colonel. L'embuscade était astucieusement dressée, j'en conviens, mais voilà un an que je ne décolère pas d'y être tombé.

263

— J'aimerais que tu me racontes ça, dit le duc. Déjeunons ensemble demain.

— Impossible, expliqua le colonel. Il faut que je voie le prince ce soir et que j'aille demain dans le Sussex. Je dois dénicher un endroit appelé Little Chadbury. Tu connais ça ? Je vais chez une demoiselle Georgia Grazebrook. J'ai un message pour elle de la part de son frère.

Le colonel s'inclina devant la douairière et commença à monter l'escalier quatre à quatre. C'est Georgia qui retrouva sa voix la première.

— Arrêtez, je vous en prie ! Je suis Georgia Grazebrook. Oh, parlez-moi de Charles ! J'ignorais qu'il était prisonnier.

Le colonel, stoppé dans son élan, redescendit lentement les marches.

— Charles, dit-il, a été capturé il y a quelques mois alors qu'il essayait de sauver un marin tombé à la mer pendant une tempête. Les Français l'ont repêché avant que les Anglais aient pu arriver jusqu'à lui ; il est maintenant au château de Calais.

Les mains de Georgia se crispèrent sur sa poitrine.

— C'est terrible ! Comment va-t-il ?

— Aussi bien qu'on peut l'espérer, répondit le colonel, mais il enrage et ronge son frein à l'idée d'être prisonnier quand la guerre continue.

— Dites-moi tout ce que vous savez de lui, reprit Georgia.

Le colonel jeta au duc un coup d'œil implorant.

— Ecoutez, Georgia, dit celui-ci gentiment, le colonel doit voir d'abord Son Altesse Royale. Mais quand il en aura fini avec Carlton House, peut-être nous fera-t-il le plaisir de venir à Grosvenor Square... si toutefois Sa Seigneurie le permet.

— Vous savez bien que je suis aussi impatiente que Georgia de connaître la suite de l'histoire, répliqua la douairière.

— Je vous rejoindrai dès que possible, promit le colonel Goodwin.

— Carrington House, dit le duc. Je renverrai la voiture te chercher. A moins que tu n'en aies une.

— Je ne suis pas assez riche pour ça, mon vieux, répondit le colonel avec un sourire. Tu n'en avais d'ailleurs pas les moyens non plus la dernière fois que je t'ai vu.

— C'est bien vrai, dit le duc en riant. Mais dépêche-toi de te présenter à Son Altesse Royale. Le prince sera furieux, tu sais, s'il découvre qu'il n'est pas le premier à qui tu as conté ton aventure.

— Furieux est bien le mot, dit le colonel qui était déjà à moitié de l'escalier. — Il s'arrêta comme s'il se rappelait brusquement les bonnes manières. — Votre serviteur, mesdames, dit-il en s'inclinant, puis il repartit en gravissant deux marches à la fois.

La douairière sortit la première et se dirigea vers la voiture qui attendait.

— Charles est prisonnier, dit Georgia pour elle-même, mais pas assez bas pour que le duc ne l'entende pas. Que vais-je faire maintenant ? Je ne peux pas supporter la pensée qu'il est aux mains de l'ennemi.

— Peut-être trouverons-nous une solution, dit le duc d'un ton calme.

— Vous croyez ?

Elle se tourna vers lui ; ses yeux brillaient à la clarté des torchères flamboyant sur le seuil de Carlton House.

— Je ne promets rien, reprit le duc, mais j'ai une idée.

— Je crois que vous êtes capable de réussir n'importe quoi, murmura Georgia impulsivement. Mais craignant de s'être trahie, elle monta précipitamment en voiture.

CHAPITRE XI

LES QUATRE CHEVAUX ENTRAINAIENT le phaéton à vive allure sur la route de Brighton à Douvres. Georgia, les joues fouettées par le vent, songeait que jamais personne encore n'avait dû voyager à un train pareil. Pas question cette fois de couper à travers champs et de passer par des petits chemins tortueux comme lorsqu'ils étaient allés des Quatre-Vents à Londres ; ils revenaient maintenant en grand équipage.

Vêtue d'un manteau de voyage rouge corail tout neuf avec une capote ornée de plumes de même couleur, Georgia était assise entre le duc et Pereguine. Avec un brusque serrement de cœur, elle se dit qu'elle n'oublierait jamais ce moment.

Sa félicité aurait été parfaite si seulement l'idée que Charles était prisonnier n'avait pas obscurci son horizon comme un nuage. Un autre sujet de tristesse pesait plus encore sur son esprit et la hantait en dépit de ses efforts pour l'écarter : la conscience que ses relations avec le duc touchaient à leur fin. S'il avait été quelqu'un d'ordinaire, peut-être auraient-ils pu continuer à se fréquenter, mais un duc doit vivre dans un monde où elle n'avait pas sa place. Il lui fallait retourner aux Quatre-Vents et essayer de réunir assez d'argent pour payer les tenanciers du domaine et maintenir la maison en état jusqu'au moment où Charles reviendrait.

Sa première idée en s'éveillant, après une nuit très agitée, avait été de se demander comment réagirait sa belle-mère après ce qui s'était passé. Mais quand elle avait timidement formulé ses craintes au duc, il avait répondu :

— Oubliez-la, elle ne vous tourmentera plus.

— Pourquoi pas ? Elle viendra aux Quatre-Vents.

— Elle n'y remettra plus jamais les pieds, répondit le duc. Après vous avoir quittée hier soir, j'ai eu un entretien avec l'Administrateur de la maison de Son Altesse Royale. Il a promis de s'occuper de Lady Grazebrook. Je vous affirme que vous ne la reverrez plus.

Georgia aurait dû reprendre confiance, mais elle n'arrivait pas à se persuader que le duc disait la vérité. Elle avait l'impression que dès qu'il sortirait de sa vie Caroline Grazebrook y réapparaîtrait, qu'elle la punirait de ce qui était arrivé et la rendrait directement responsable de la mort de deux de ses amis les plus chers.

Comme s'il devinait ce qu'elle éprouvait, le duc déclara calmement :

— Nous en reparlerons plus tard. Entre-temps, n'y pensez plus. Cela n'a guère d'intérêt, je vous le jure.

Ce qui était vrai, Georgia en convenait : ils avaient formé des projets bien plus importants.

La veille, à leur retour à Grosvenor Square, le duc avait simplement esquissé en quelques mots ses intentions et, au matin, Georgia, qui était descendue longtemps avant que la douairière soit réveillée par sa femme de chambre, trouva Pereguine habillé et attendant l'arrivée du duc.

— Trydon compte-t-il réellement faire ce dont il parlait hier soir ? demanda Georgia, oubliant dans son anxiété de souhaiter le bonjour à son hôte comme le voulaient les règles de la civilité.

— Bonjour, Georgia. Asseyez-vous donc et déjeunez, dit Pereguine en se levant.

Il était assis à une table couverte de plats d'argent.

— Je me sens incapable d'avaler quoi que ce soit, répondit Georgia.

— Il le faut pourtant, insista Pereguine. On ne peut pas se lancer dans une aventure l'estomac vide. C'est une des règles édictées par Trydon, d'ailleurs. Il dit qu'il a appris dans l'armée que les hommes se battent mieux et marchent mieux quand ils ont mangé. Aussi veut-il que nous fassions de même.

269

— Vous croyez vraiment que n... nous partons en expédition aujourd'hui ? questionna Georgia, bégayant un peu sous l'empire de l'émotion qui s'emparait d'elle.

— Vous avez entendu ce qu'a dit Trydon, répondit Pereguine. Ce n'est pas un rêveur chimérique. Quand il dit qu'il veut faire quelque chose, il le fait.

— Mais sauver Charles, comment le pourrait-il ?

Pereguine lui adressa un petit froncement de sourcils et jeta un coup d'œil vers les valets qui allaient et venaient près de la desserte où étaient disposées une collation froide et diverses friandises à l'intention de ceux qui auraient assez d'appétit pour les manger.

— Oui, oui, bien sûr, s'écria vivement Georgia. Je plaisantais.

Parce qu'elle savait que Pereguine avait raison en déclarant que le duc faisait toujours ce qu'il décidait de faire, elle se força à manger des œufs et à grignoter un rayon de miel que Pereguine lui dit venir du jardin de la douairière dans le Surrey.

Pereguine dévora plusieurs côtelettes d'agneau et goûta à un ou deux autres plats, tandis que Georgia attendait avec une impatience grandissante le départ des domestiques. Pereguine les congédia enfin en leur disant de préparer d'autres plats au cas où Sa Grâce voudrait déjeuner quand elle arriverait.

Une fois la porte refermée derrière le maître d'hôtel, Georgia se pencha vivement vers lui.

— Comment va-t-il s'y prendre ? chuchota-t-elle.

— Il faudra le demander à Trydon, répliqua Pereguine. Si vous voulez mon avis, je pense qu'il est fou à lier ! Mais c'est tout Trydon : il suggère quelque chose qui paraît démentiel et quand on le fait cela paraît relativement simple.

— Simple ? Pas cette fois puisque Charles est prisonnier, dit Georgia.

— Cela n'arrêtera pas Trydon, affirma Pereguine. Maintenant, si vous voulez bien m'excuser, je vais vérifier mes pistolets de duel. J'ai l'impression que nous pourrions en avoir besoin.

Georgia frissonna légèrement en se remémorant l'usage qu'il en avait fait la veille. Puis elle dit :

— J'aimerais vous remercier. J'ai essayé la nuit dernière, mais vous n'avez pas voulu m'écouter. Maintenant que Lord Ravenscroft est mort, je me sens enfin libre et délivrée de la peur.

— Alors, c'est une bonne chose que ce vieux serpent ait débarrassé le plancher, dit gaiement Pereguine. Ne me remerciez pas, remerciez Trydon. S'il ne m'avait pas convaincu que le comte pouvait être dangereux, je n'aurais pas emporté un pistolet. C'était assez risqué, cela pouvait me mettre très mal avec Son Altesse Royale mais, étant donné la situation, heureusement il n'en a rien été.

— Vous avez été merveilleux tous les deux, s'écria Georgia avec élan. Merveilleux !

Comme si Georgia l'avait fait venir en parlant de lui, le duc entra dans la pièce.

271

— Encore en train de manger ? dit-il. Il est temps de partir.

— Partir ? répétèrent à l'unisson Georgia et Pereguine.

— J'ai mon phaéton dehors, répliqua le duc. Dépêchez-vous d'enfiler votre manteau, Georgia. Je présume que vous avez emballé ce qu'il vous faut pour une nuit ou deux ?

— J'ai expliqué à ma femme de chambre ce dont j'aurai besoin, répondit Georgia, mais je pensais que nous attendrions que Sa Seigneurie soit réveillée.

— Une femme suffit pour ce voyage, dit le duc avec un sourire. Présentez mes respects à Sa Seigneurie et mes regrets de ne pas pouvoir les lui adresser en personne.

Georgia monta l'escalier en courant. Quand la douairière apprit qu'ils s'en allaient, elle ne protesta pas de se voir abandonnée, mais dit simplement avec nostalgie :

— Je regrette de ne pas avoir vingt ans de moins ! Vous avez de la chance, vous les jeunes. Si dangereuse que puisse être une aventure, cela vaut mieux que d'être laissée au coin du feu.

Georgia lui jeta impulsivement les bras autour du cou et l'embrassa.

— Vous avez été si bonne pour moi, dit-elle. Je ne pourrai jamais assez vous remercier.

La douairière lui tapota la joue.

— Vous êtes jolie, mon petit, et je suis désolée d'être privée du plaisir de parader avec vous ce soir à Carlton House.

— Cela m'aurait fait plaisir aussi, dit Georgia, navrée soudain que la rencontre avec le comte Jules ait eu lieu tellement vite. — S'il avait fallu quelques jours pour le trouver, elle aurait eu ainsi plus de temps à passer avec le duc.

Pendant toute la nuit, quand elle ne se tourmentait plus pour Charles, elle pensait sans arrêt au duc. Elle voyait presque son visage dans l'obscurité et elle avait l'impression que ses doigts forts et chauds serraient encore les siens. Elle porta la main à sa joue froide à l'endroit où ses lèvres s'étaient posées.

« Je l'aime », chuchota-t-elle dans son oreiller. « Je l'aime, je l'aime, je l'aime. » Elle se dit avec désespoir qu'elle répéterait ces mots seule dans le noir toutes les nuits jusqu'à la fin de sa vie.

Elle s'était réveillée à l'aube parce que cela rapprochait pour elle le moment de le revoir et maintenant, levant les yeux vers lui sous le bord de sa capote, le regardant manier les rênes avec adresse et fermeté, elle sentit son cœur sauter dans sa poitrine. Il était magnifique. Il avait une assurance dominatrice qui lui fit se demander comment elle avait pu croire qu'il était fugitif ou qu'il eût jamais été dans l'obligation de se cacher.

Le duc détourna un instant les yeux de la route et les baissa vers elle.

— Contente ? demanda-t-il en souriant.

— C'est merveilleux, dit-elle.

Le vent semblait lui arracher les mots de la bouche tant ils avançaient vite.

— Par Jupiter, Trydon, s'exclama Pereguine. Je

t'envie ces chevaux. Si nous continuons à cette allure, nous battrons facilement le record du prince sur le trajet de Brighton.

— J'espère que oui, répliqua le duc, mais nous avons à nous occuper de choses plus importantes qu'un record à battre.

— Je voudrais bien que tu nous dises ce que tu mijotes, grommela Pereguine, mais il savait que le moment était mal choisi pour en parler et il n'insista pas.

Ils s'arrêtèrent devant un élégant relais de poste juste avant midi. Les palefreniers se précipitèrent à la bride des chevaux et le patron sortit majestueusement de l'auberge pour accueillir le duc et ses amis et les conduire dans une salle réservée. Du vin fut apporté avec des tranches de viande froide — rôti de bœuf, gigot et jambon — ainsi qu'une hure de sanglier délicatement accommodée. L'aubergiste les pressa de goûter sa cuisine, mais le duc objecta avec fermeté qu'ils devaient se hâter et qu'il fallait les servir sur-le-champ. En fait, Georgia se dit qu'aucun délai ne lui aurait procuré quelque chose de meilleur que l'alouette en gelée et le pâté aux huîtres sur lesquels s'était porté son choix, tandis que ses deux compagnons préféraient une nourriture plus substantielle.

La femme de l'aubergiste la conduisit au premier étage pour se laver les mains dans la meilleure chambre de la maison. En se regardant dans le miroir, elle songea que, malgré une nuit presque blanche, elle avait l'air fraîche et ses yeux brillaient d'excitation. Elle était aussi assez féminine pour constater que sa capote était seyante, et son manteau de voyage à collets superposés ne ressemblait guère à l'amazone de velours usée et démodée qu'elle portait en se rendant dans le nord.

Elle avait maintenant l'apparence d'une dame à la mode, mais elle savait qu'au fond du cœur elle restait l'orpheline effrayée qui avait été contrainte par les circonstances à transgresser la loi. De plus, elle était toujours seule au monde, à l'exception de sa nourrice qui n'était plus jeune et aurait déjà dû prendre sa retraite, et d'un frère prisonnier des Français.

Si elle se sentait malheureuse, elle n'en témoignait rien quand elle descendit dans le salon où les gentilshommes se levèrent à son entrée.

— Un verre de vin, Georgia, puis nous nous mettrons en route, dit le duc, peu après.

— Tu nous as tout juste accordé une demi-heure de repos, protesta Pereguine.

— Nous avons du travail en perspective, répliqua le duc.

— Vous ne voulez pas nous dire ce que vous avez l'intention de faire quand nous arriverons à Brighton ? questionna Georgia.

— Nous n'allons pas à Brighton, répliqua le duc. Notre destination est les Quatre-Vents.

— Les Quatre-Vents ? répéta Georgia stupéfaite. Mais pourquoi ? Que pouvons-nous faire là-bas ?

— Je vous l'expliquerai quand nous serons chez vous, dit le duc. Je ne tiens pas à parler ici, ou dans n'importe quel endroit où nous risquons d'être entendus. Les événements de la nuit dernière m'ont enseigné une leçon : ne se fier à personne ! L'Administrateur de la maison du prince disait la même chose. Le prince manque souvent de discrétion devant ses amis intimes. Dieu sait quels secrets Bonaparte a surpris par ses confidences imprudentes sur nos forces militaires ou notre stratégie navale.

— Tu as raison, déclara Pereguine, garde le silence, Trydon, et tant pis si Georgia et moi nous mourons de curiosité longtemps avant d'arriver aux Quatre-Vents, où que perche cet endroit.

Le duc se borna à sourire, puis demanda à Georgia :

— Vous n'êtes pas trop fatiguée ?

— Fatiguée ? Nous avons voyagé ce matin dans un confort bien différent de ce à quoi je suis habituée, vous savez.

Une lueur de malice pétilla dans les yeux de Trydon. Il comprit que tous deux pensaient aux traversées épuisantes de la Manche.

— Brave petite ! dit-il d'un ton léger.

Une fois de plus, son approbation provoqua chez Georgia une bouffée de joie.

Ils repartirent et, quatre heures et demie après avoir quitté Londres, ils s'engouffrèrent entre les grilles ouvertes du parc des Quatre-Vents. La maison était dorée par le soleil ; ses briques rouges patinées encerclées par des bois verdoyants lui donnaient l'apparence d'un joyau précieux dans un écrin de velours.

— Pardieu, quelle demeure séduisante ! s'exclama Pereguine.

— C'est là que j'habite, dit Georgia un peu timidement.

— Alors je vous félicite, répliqua-t-il.

— La seule chose, reprit Georgia avec hésitation, c'est que vous ne trouverez pas la maison très confortable, je le crains. Il n'y a pas... il n'y a pas le confort auquel vous êtes habitué à Londres.

— Trydon et moi, nous avons souvent couché à même le sol quand nous étions dans la Péninsule, répondit Pereguine. Je vous assure que n'importe quel lit paraît confortable après cela.

Georgia regarda le duc comme pour quêter une confirmation.

— Je suis persuadé que Nounou ne voudra pas nous laisser mourir de faim, dit-il.

Elle ne put s'empêcher de rire.

Ils s'arrêtèrent dans un style éblouissant devant la grande porte. Le vieux Ned mit un certain temps à émerger des écuries pour venir s'occuper des chevaux. Quand Georgia entra, elle trouva la maison bien modeste en comparaison avec l'élégance de la demeure de Lady Carrington.

Nounou sortit de la cuisine et se précipita dans le vestibule. L'anxiété, l'appréhension étaient peintes sur son visage, car elle croyait voir arriver Lady Grazebrook. Mais on ne pouvait se méprendre sur la chaleur de son accueil quand elle tendit les bras vers Georgia.

— Miss Georgia, ma chérie, je ne m'imaginais pas

que c'était vous. Qu'est-ce donc qu'on vous a fait ? Vous avez l'air toute changée, mais vous êtes élégante et belle comme je voulais toujours vous voir.

Elle se tourna vers le duc.

— Ainsi vous avez tenu votre promesse, monsieur, vous me l'avez ramenée saine et sauve.

— Sans dommage en effet, dit le duc, mais nous avons une tâche à accomplir qui est importante, Nounou.

— De quoi s'agit-il ? demanda-t-elle.

Georgia enlaça la vieille femme.

— Ecoute, Nounou, dit-elle à mi-voix, Charles est prisonnier, et il y a une chance, laquelle je ne sais pas encore, de le sauver. Aide-nous de tout ton pouvoir.

— Prisonnier ! Mon petit ! — La nourrice chancela sous le coup de l'émotion. — Ces maudits Français... est-on jamais à l'abri de leurs manigances diaboliques ?

— Peut-être que Sa Grâce pourra tirer Charles d'affaire, reprit Georgia, oubliant que Nounou ne connaissait pas la véritable identité du jeune homme qu'elles avaient hébergé dans la cachette du prêtre. Mais, tout en parlant, elle leva les yeux vers le duc et son expression était révélatrice pour quelqu'un qui avait vécu avec elle et l'aimait depuis son enfance.

— Sa Grâce, dit lentement Nounou. J'avais donc raison. J'avais deviné que vous étiez de bonne naissance, monsieur. J'ai grandi au service de gentilshommes, aussi je ne pouvais pas me tromper.

— Je suis toujours celui que vous ne vouliez pas laisser jeûner, bien que vous m'ayez traité de propre à rien, commenta le duc.

Nounou rougit et parut légèrement mal à l'aise, mais Georgia l'embrassa.

— Je t'expliquerai tout plus tard, promit-elle. Je t'en prie, Nounou, donne du vin à ces messieurs et une tasse de chocolat pour moi si tu en as le temps.

— Je vous sers tout de suite, répliqua Nounou qui sortit du vestibule en marmottant : — Un duc, je savais bien qu'il avait du sang noble dans les veines !

Georgia éclata de rire, et ses deux compagnons l'imitèrent.

— Maintenant, Georgia, dit le duc, je veux que vous convoquiez votre équipage, au complet. Et aussi votre réparateur de clochers.

— L'équipage ? s'exclama-t-elle. Mais pourquoi ? Je ne comprends pas.

— Vous verrez, se contenta-t-il de répondre.

Il sortit de sa poche de manteau plusieurs cartes et, entrant dans la bibliothèque, les posa sur le vaste bureau plat qui occupait le centre de la pièce. Georgia le suivit, interloquée.

— Dépêchez-vous, je vous en prie, reprit le duc. Peut-être vaudrait-il mieux vous changer. Vos gens seraient un peu déconcertés de vous voir comme vous êtes maintenant.

Sans rien ajouter, le duc se mit à étaler les cartes

sur le bureau. Georgia resta un moment sur le seuil, indécise, puis lui obéit.

Elle demanda au jardinier de se rendre au village pour prévenir le plus grand nombre possible des hommes de l'équipage. Elle-même s'engagea ensuite dans l'étroit chemin creux sablonneux qui conduisait à la maison d'un des gardes forestiers. Elle le trouva chez lui et l'envoya chercher plusieurs autres tenanciers. Elle n'oublia pas le réparateur de clochers. En fait, il y en avait deux, le père et le fils. Elle craignait qu'ils soient absents, car ils allaient faire des réparations dans toute la région. Par chance, ils étaient là l'un et l'autre.

Elle revint alors à la maison et — bien féminine en cela — troqua les vieux vêtements qu'elle avait mis pour convoquer l'équipage contre une des élégantes toilettes de mousseline qu'elle avait rapportées de Londres. Quand elle l'eut enfilée, elle se regarda dans la glace et songea que c'était peut-être la dernière fois qu'elle s'en parait. Toutes ces toilettes devraient être renvoyées à la douairière : elles lui avaient été données dans un certain but et maintenant que ce but était atteint elles ne lui appartenaient plus.

Parce qu'elle aimait le duc, elle souffrait à l'idée d'être vue par lui dans les habits élimés qu'elle avait si longtemps portés. Elle avait aperçu une lueur d'admiration dans ses yeux quand elle s'était présentée dans la robe scintillante que la douairière lui avait achetée pour se rendre à Carlton House. Avant qu'il la quitte pour toujours, elle voulait revoir encore cette expression dans son regard.

Quand elle descendit l'escalier, elle constata qu'une demi-douzaine de paysans attendaient d'un air gêné debout dans le vestibule.

— Vous avez besoin de nous, maîtresse ? s'enquit l'un d'eux. Serait-ce qu'on va traverser cette nuit ?

Georgia secoua négativement la tête, salua chacun par son nom et, sans répondre à leurs questions, traversa le vestibule pour se rendre dans la bibliothèque.

— Les hommes sont là. Où voulez-vous les recevoir ? demanda-t-elle au duc.

— Dites-leur de venir ici, répliqua-t-il comme s'il était le maître de la maison.

Les hommes entrèrent d'un pas traînant, leur bonnet à la main. Le duc les accueillit en leur serrant la main à chacun. Georgia constata avec amusement qu'ils étaient contents de le voir. Il avait été leur compagnon dans une mauvaise passe ; ils se doutaient qu'il avait fait disparaître le cadavre du Français et il était maintenant des leurs. Ils avaient confiance en lui.

Un groupe d'autres paysans, un peu essoufflés tant ils s'étaient dépêchés pour répondre à la convocation, entrèrent à leur tour dans la bibliothèque. En traversant la pièce pour aller fermer la porte, Georgia entrevit l'expression furieuse et outragée de sa nourrice qui venait de découvrir où les hommes du domaine étaient reçus.

— Etes-vous tous là ? demanda le duc.

— Oui, monsieur.

— Et voici les réparateurs de clochers, présenta Georgia en les poussant en avant. Ernest et Ben Farrow. J'ai eu de la chance de les trouver chez eux, car ils sont très demandés dans la région.

Le compliment fit sourire avec embarras les deux hommes.

— J'ai une nouvelle à vous communiquer, mes amis, reprit le duc. Mr. Charles, votre maître maintenant que le squire n'est plus de ce monde, est prisonnier des Français.

Il y eut un concert d'exclamations et l'un des hommes proféra un juron vite réprimé.

— Maintenant, je sais quels sentiments vous éprouvez à l'égard de votre jeune maître, poursuivit le duc. Je désire m'assurer que vous êtes tous prêts à me seconder dans une tentative audacieuse pour le sauver.

Pendant une seconde, un silence profond régna. Puis, comme un seul homme, ils s'avancèrent impulsivement vers le bureau.

L E vent du sud soufflait une haleine chaude au visage de Georgia quand ils se mirent en route à la tombée du crépuscule. Elle avait passé deux heures à discuter de pied ferme avec le duc si oui ou non elle accompagnerait l'expédition. Elle avait obtenu gain de cause tout simplement parce qu'elle avait juré que, si le duc ne l'emmenait pas, elle ordonnerait à l'équipage de ne pas partir.

— Je leur dirai qu'on ne peut pas se fier à vous ! s'était écriée Georgia avec emportement. Je leur raconterai n'importe quel mensonge, mais vous n'irez pas sans moi ; je ne veux pas être laissée en arrière.

— Ce n'est pas un travail de femme.

— Transporter des marchandises de contrebande de l'autre côté de la Manche comme je l'ai fait une douzaine de fois sinon plus n'était pas non plus un travail de femme, dit sèchement Georgia, et j'ai su diriger les hommes suffisamment bien pour les ramener à bon port. En fait, c'est seulement le soir où vous étiez avec nous que les choses ont failli mal tourner.

— Les femmes sont illogiques, le fait est bien connu, dit le duc en souriant. D'accord, Georgia, vous avez gagné, mais je vous emmène contre mon gré. Le bateau n'est déjà que trop chargé.

— Nous n'aurons pas de marchandises, répliqua-t-elle, et ce n'est pas la place qui manque, vous le savez parfaitement.

— Qui a jamais pu discuter avec une femme ? s'exclama le duc en levant les bras au ciel.

Maintenant qu'elle avait obtenu ce qu'elle voulait, Georgia était prête à le pardonner. C'était la première fois qu'elle se sentait gênée dans ses hautes bottes et sa redingote à larges basques, la première fois qu'elle regrettait de n'avoir pas quelque chose de plus seyant à mettre. Elle n'avait pas entendu toutes les instructions que le duc avait données à ses hommes ; elle savait seulement qu'il était resté

enfermé longtemps seul avec les réparateurs de clochers et que ceux-ci avaient apporté à bord une
quantité de matériel.

Ils avançaient vite et sans peine sur l'eau calme.
La nuit n'était pas très sombre ; une lune pâle apparaissait entre les nuages. A part quelques mots
qu'échangeaient le duc et Pereguine, ils ramaient en
silence. Au bout d'un certain temps, le duc prit le
commandement.

— Un peu plus à tribord la barre, dit-il à Georgia. Et maintenant, naviguez tout droit pendant une
centaine de mètres.

La lune émergea des nuages et ils aperçurent
devant eux les côtes de France.

— Halte ! ordonna le duc. Quelle heure as-tu,
Pereguine ?

Celui-ci eut un peu de mal à allumer la lanterne.
Après avoir consulté sa montre, il l'éteignit aussitôt.

— Il est près de quatre heures, répondit-il.

— Et le jour se lève vers quatre heures et demie,
répliqua le duc. Recommencez à ramer, mes amis,
nous devons minuter notre expédition à la seconde
près.

— Qu'allons-nous faire ? questionna Georgia.

Elle se rendit compte que, dans l'affairement pour
tout préparer et se changer de vêtements, elle n'avait
encore aucune idée des détails de leur plan.

— Vous verrez, répondit le duc.

Comme s'il sympathisait avec sa curiosité, Pereguine chuchota :

— Le colonel Goodwin a dit à Trydon que les prisonniers prennent de l'exercice sur les remparts à l'aube et au crépuscule.

Le bateau continuait à avancer. Le duc remplaça Georgia à la barre et lui recommanda de s'asseoir tout au fond du bateau. Ce faisant, il avait posé les mains sur les siennes et les avait serrées vivement.

— Soyez brave, murmura-t-il à son oreille. Quoi qu'il arrive, du moins aurons-nous tenté quelque chose.

— Je sais, répondit-elle, et je vous en serai reconnaissante même si nous échouons.

Elle se laissa glisser au fond du bateau et pendant un instant appuya son visage contre le genou de Trydon. Geste instinctif qu'il ne remarqua pas, car il était absorbé par la manœuvre pour diriger le bateau vers la grande forteresse qui se dressait au bord de l'eau juste devant eux.

La nuit était encore sombre quand ils en approchèrent, bougeant à peine leurs avirons. Presque sans bruit, les deux réparateurs de clochers sautèrent vivement à terre avec leur matériel. Georgia scrutait l'obscurité le cœur battant. Elle redoutait d'entendre le cri d'alarme d'une sentinelle, mais on ne percevait que le clapotis des vagues. Le château était plongé du haut en bas dans l'ombre ; elle devina que les Français ne s'attendaient pas à voir arriver des hommes du côté de la mer — tout au plus des navires crachant leurs boulets contre les murailles inexpugnables.

Les réparateurs de clochers restaient invisibles. Au

bout d'un court moment, le duc confia la barre à Pereguine et, traversant le bateau, débarqua à son tour. Georgia le vit partir et ne réprima pas sans effort son envie de tendre la main pour l'arrêter. Il allait vers le danger, il risquait d'être tué. S'il mourait, elle se dit que le regret qu'il ne lui ait pas dit adieu la rongerait à jamais. Elle aurait voulu le suivre, elle aurait voulu par-dessus tout être à son côté, mais c'est ce qu'il ne fallait pas faire, évidemment, et elle se résigna à attendre, retenant son souffle pour mieux essayer d'entendre ce qui se passait.

Pour le moment, il ne se passait rien. Puis le ciel noir s'éclaircit un peu et elle aperçut, presque imperceptibles, deux silhouettes minuscules sur les vastes remparts du château : elles progressaient vers le haut, une corde pendant à la ceinture : c'étaient les réparateurs de clochers qui posaient des crampons pour monter vers les créneaux. En bas, les yeux levés vers eux, il y avait le duc.

Pereguine tira sa montre.

— Quelle heure est-il ? chuchota Georgia.

— Quatre heures vingt-huit, dit-il.

Le bateau dansait sur les vagues et un homme était descendu dans l'eau pour le maintenir immobile. Georgia essaya de réfléchir mais son cerveau était comme paralysé. Elle ne pouvait qu'observer, fascinée, les silhouettes minuscules qui grimpaient, grimpaient toujours et l'autre ombre noire qui les regardait d'en bas.

— Quatre heures vingt-neuf, murmura Pereguine. Puis : — Quatre heures trente.

A une fenêtre, tout en haut du château, une
lumière s'était allumée, une autre apparut plus bas,
puis une troisième près des remparts. Georgia avait
mal aux yeux à force de regarder. Soudain, elle
entendit siffler et elle comprit qui sifflait. Elle se
souvenait qu'en venant de Londres le duc s'était
tourné vers elle pour demander :

— Votre frère a-t-il un air favori ? La plupart des
gens en ont un qui leur rappelle leur enfance.

— Certes, avait-elle répondu. Ma mère jouait toujours « Charlie est mon trésor. » Nous nous plan-
tions autour du piano pour le chanter. Ensuite, elle
saisissait mon frère dans ses bras et disait : « Charlie,
tu es mon trésor chéri. » J'en étais très jalouse.

Le duc n'avait rien dit de plus et c'est seulement
maintenant qu'elle se remémorait son étonnement
d'une question si biscornue.

La mélodie de « Charlie » résonnait haut et clair.
Rien ne se produisit. Georgia vit l'un des réparateurs descendre le long de la corde qu'il avait dû
fixer à un créneau. Il prit pied à côté du duc et se
dirigea aussitôt vers le bateau comme s'il en avait
reçu l'ordre. L'autre réparateur le suivit quelques
secondes plus tard. Deux cordes pendaient maintenant. Pour qui ne savait pas qu'elles étaient là, elles
étaient invisibles. L'air résonnait toujours « Charlie
est mon trésor, mon trésor, mon trésor, Charlie est
mon trésor. » Soudain, une tête surgit par-dessus le
créneau.

— A moins d'un mètre sur votre droite, il y a une corde ! cria le duc. Elle est solide. Dépêchez-vous!

Pendant un instant, la tête resta immobile. Etait-ce Charles ou quelqu'un d'autre ? Puis Georgia vit un homme se hisser par-dessus le rempart, saisir une des cordes et se laisser glisser adroitement jusqu'aux rochers. Les hommes dans le bateau poussèrent une acclamation étouffée.

— Vite ! ordonna le duc. Déhalez le bateau !

L'homme qui, à mi-corps dans l'eau, immobilisait l'embarcation lui donna une poussée, si bien qu'elle courait déjà sur son erre quand Charles et le duc s'avancèrent dans la mer pour embarquer. L'équipage se courba sur ses avirons. Des têtes surgissaient aux créneaux, des voix et des ordres résonnaient.

— Nagez ! cria le duc. Souquez ferme ! Plus vite, plus vite ! Baissez la tête !

Le bateau s'était dégagé des rochers et Pereguine, qui tenait la barre, le fit virer sur lui-même. Les hommes ramaient de toutes leurs forces.

— Une, deux... commença le duc. Prenez la cadence sur moi. Une, deux... une, deux...

La fusillade se déclencha avec tout juste assez de retard pour ne plus être effrayante. Les balles pleuvaient du haut des remparts, mais le bateau avait déjà gagné la pleine mer et l'obscurité les enveloppa.

— Gardez la tête baissée, commanda le duc. Une, deux... une, deux...

Il n'était pas nécessaire de dire aux hommes de ramer plus vite. Ils ahanaient déjà en souquant sur les avirons, mais les balles continuaient à siffler autour d'eux et Georgia, blottie dans le fond du bateau, retenait son souffle, le cœur serré à l'idée que l'un d'eux pourrait être touché.

Ils se trouvèrent soudain hors de portée du tir et hors de vue du château. Ils étaient au milieu de la Manche et l'aube pointait à l'est ; le premier reflet doré du soleil qui montait lentement éteignait la dernière étoile.

— Charlie ! Oh, Charlie ! s'écria Georgia comme son frère escaladait les bancs pour venir vers elle, la prenait dans ses bras et l'embrassait sur les deux joues.

— Nous avons réussi, conclut le duc sur un ton de paisible satisfaction.

Les hommes l'acclamèrent. C'était une acclamation non seulement de triomphe mais aussi de soulagement, car son plan leur avait paru à tous insensé et irréalisable.

— Et maintenant rentrons chez nous, dit le duc dont le regard s'arrêta un instant sur le visage heureux de Georgia, qui était assise un bras passé autour de son frère.

Elle avait retiré le foulard noir qu'elle portait sur la tête et ses cheveux se détachaient, doux et dorés, contre le visage de Charles.

— Comment as-tu pu tenter quelque chose d'aussi invraisemblable, d'aussi fou ? demanda-t-il encore tout ému.

— Ce n'est pas moi, c'est le duc, répondit-elle.

— Le duc ? répéta-t-il.

— Le duc de Westacre, c'est un ami du colonel Goodwin.

— Tu as donc vu le colonel ?

— Il nous a dit où tu étais, répliqua Georgia.

— Oh, mon Dieu ! Je n'arrive pas à croire que c'est vrai ! s'exclama Charles, et elle comprit à sa voix soudain brisée que lui aussi était bien près des larmes.

— Tout va bien, dit-elle, tu es en sécurité maintenant. Nous allons chez nous.

— Il faut que je regagne mon navire, répondit-il. Peux-tu imaginer rien de plus idiot que de tomber par-dessus bord en pleine tempête et d'être repêché par l'ennemi.

— Je croyais que tu avais voulu sauver un marin.

— J'ai bien essayé, mais je n'ai pas réussi. Le courant était trop violent. C'était un brave marin, il faut dire, un des meilleurs.

— Tu es sauf à présent, répéta-t-elle d'un ton consolateur.

C'est tout ce qu'elle trouvait à dire. Elle ne pouvait s'empêcher d'éprouver un peu d'amertume en voyant que les pensées de Charles étaient déjà avec ses camarades de bord, loin d'elle, et qu'il souhaitait les rejoindre immédiatement, l'abandonnant à son sort. Elle était heureuse au-delà de toute expression que son frère tant aimé ne soit plus prisonnier et pourtant, parce qu'elle savait n'avoir aucune place dans ses projets d'avenir, elle se sentait plus désespérée que jamais.

Elle jeta un coup d'œil à l'arrière du bateau où le duc était assis avec les deux réparateurs de clochers. Comme il avait grand air, comme il était élégant et dispos malgré tout ce qu'ils avaient enduré ! Demain, sans doute, il retournerait à Londres et à la vie mondaine dont il était un des piliers.

Charles partirait avec lui, pressé de raconter son aventure à l'amirauté, et elle serait seule aux Quatre-Vents.

Brusquement, et elle supposa que c'était la conséquence de la tension nerveuse qu'elle avait subie, elle eut envie de pleurer. « Je l'aimerai jusqu'à mon dernier souffle », se dit-elle, et les larmes lui montèrent aux yeux.

CHAPITRE XII

ILS PARVINRENT A LA CRIQUE JUSTE avant huit heures. Nounou, debout à la pointe, observait la mer, guettant leur arrivée. Ils l'aperçurent les premiers et, à la façon dont les mains de la vieille femme étaient crispés, Georgia comprit qu'elle priait. Elle vit l'expression de sa nourrice passer de l'anxiété atroce à une joie presque incrédule quand elle distingua Charles à bord.

Les hommes criaient et riaient en tirant le bateau sur les galets au-dessus de la laisse de mer. Cette fois, point n'était besoin de subterfuge et de silence. Ils étaient comme enivrés par le triomphe d'avoir arraché leur maître à la plus solide forteresse de l'ennemi.

Après avoir embrassé sa nourrice, Charles serra la main des hommes de l'équipage. Tous voulaient lui parler à la fois des événements survenus pendant son absence. Georgia se tenait un peu à l'écart, isolée, avec le sentiment d'être de trop. Elle s'aperçut que le duc disait un mot en aparté à Pereguine ; ils allèrent dans la grotte d'où ils rapportèrent de gros sacs d'or qu'ils avaient dû dissimuler là avant que le bateau parte pour la France. Elle vit le duc donner dix guinées à chaque homme de l'équipage et elle se dit avec une soudaine amertume que c'était encore une dette dont elle et son frère lui seraient redevables, et qui ne serait probablement jamais remboursée.

Elle prit brusquement conscience d'elle-même — de ses hautes bottes, de sa redingote râpée qui avait appartenu naguère à Charles, de ses cheveux que le vent ébouriffait autour de sa figure. Sans mot dire, elle s'éloigna et rentra hâtivement à la maison par les tunnels rocheux, l'escalier branlant et la cave vide.

« C'est la dernière fois », pensa-t-elle. Comment s'y prendrait-elle pour payer les tenanciers quand Charles serait reparti en mer, à présent qu'il n'y aurait plus de contrebande ?

Quand Pereguine et le duc revinrent à la maison, Georgia avait remis sa robe neuve en mousseline blanche et disposait le couvert pour le petit déjeuner dans la salle à manger.

— Je me sens capable de dévorer un bœuf entier ! déclara Charles. Nounou, dépêche-toi de nous apporter tout ce qu'il y a de comestible ici. Je n'ai pas eu un seul repas convenable depuis ma capture.

— Mon pauvre garçon, je savais bien que ces

démons vous faisaient jeûner, s'exclama la nourrice avec indignation en se précipitant majestueusement vers la cuisine.

Charles s'assit à table et Georgia eut un petit sourire en remarquant qu'il avait pris d'autorité la place de son père, la place d'honneur. Georgia rejoignit Nounou dans la cuisine et reparut peu après avec un pot de café fumant.

— Voilà toujours quelque chose pour commencer, dit-elle. Il y a aussi un jambon que Nounou et moi réservions pour une occasion comme celle-ci. Il a été préparé voici seulement trois mois et nous nous disions, en le salant, que personne d'autre que toi ne le mangerait.

— Magnifique ! commenta Charles en lui souriant.

Puis, comme si rien de ce qu'elle disait n'avait d'importance auprès de ce qu'il désirait apprendre du duc, il s'écria avec impatience :

— Continuez, Votre Grâce. Qu'est-ce qui vous a fait penser que vous pouviez me sauver ?

— Oui, en effet, quoi donc ? questionna Georgia qui se rappelait ce que lui avait dit le duc quand ils eurent quitté le colonel Goodwin à Carlton House.

— Il y a sept ans, en 1802, un armistice avait été signé avec Bonaparte, expliqua le duc. Mon colonel me demanda de l'accompagner et nous sommes allés en France. Il pensait que ce ne serait pas mauvais de nous rendre compte sur place de ce que tramait Bonaparte. Le premier ministre et un certain nombre de gens étaient convaincus que la cessation des hostilités était simplement pour Bonaparte un moyen de gagner du temps. Il voulait construire des navires et répartir autrement ses armées. Quand nous sommes arrivés à Calais dans le yacht personnel de mon colonel, nous fûmes accueillis le plus amicalement du monde par le maire de la ville qui nous invita à passer la nuit au château. Il n'y avait là, bien sûr, aucun prisonnier militaire, mais pas mal de prisonniers civils s'y trouvaient et je me souviens avoir demandé s'ils avaient la possibilité de sortir pour prendre de l'exercice.

« Les plus importants sont autorisés à passer un quart d'heure sur les remparts à l'aube et au coucher du soleil », me répondit le maire.

« Je suppose que les mêmes restrictions s'appliquaient à nos prisonniers pendant la guerre ? s'enquit mon colonel.

« Oui, effectivement, dit le maire, les officiers britanniques jouissaient du même privilège. »

— Voilà comment Votre Grâce savait ! s'exclama Charles.

— Naturellement, je me suis fait confirmer par le colonel Goodwin que le règlement était toujours en vigueur, reprit le duc. Je me suis souvenu aussi d'autre chose. Nous étions allés sur les remparts et, en regardant de là-haut la mer, les vagues qui se brisaient sur les récifs, je m'étais dit : « Personne ne pourrait s'évader d'ici sans ailes... à moins d'être un réparateur de clochers. »

296

— Qu'est-ce qui vous avait suggéré cette idée ? demanda Georgia.

— Je n'en sais rien. Peut-être toutes nos actions sont-elles prédestinées et toutes nos pensées ont-elles un sens profond, si bien que tôt ou tard on peut en faire un bon usage.

— Et quel bon usage ! s'écria Charles. Comment pourrai-je jamais vous remercier, monsieur ?

— N'essayez pas, dit le duc. Vous me gêneriez. Maintenant que notre aventure s'est terminée sur un succès je suis prêt à avouer que j'en ai joui de la première à la dernière minute.

— Je n'en dirais pas autant, intervint Georgia. Quand j'ai aperçu quelqu'un qui regardait par-dessus les créneaux, je n'étais pas sûre qu'il s'agissait de Charles et je croyais que les Français allaient ouvrir le feu sur nous d'un instant à l'autre.

— Jamais, au grand jamais, ils n'auraient imaginé qu'un prisonnier tenterait de s'échapper par les remparts, répondit Charles. Les autres issues du château sont sévèrement gardées.

L'entrée de Nounou dans la pièce créa une diversion : elle portait le plus grand plat de la maison où s'étageait une montagne d'œufs au jambon.

— J'ai embroché quatre pigeons gras qui sont en train de rôtir, annonça-t-elle, et j'ai envoyé l'aide-jardinier chercher un gigot de mouton au village.

— Un gigot ! s'exclama Charles. C'est les quatre qu'il me faut.

— Et qui paiera, j'aimerais bien le savoir, gronda Nounou vertement. Nous n'avons pas eu les moyens de nous offrir si bonne chère pendant votre absence, Mr. Charles, je vous assure.

La nourrice sortit dignement et Charles éclata de rire.

— On peut faire confiance à Nounou pour ce qui est de me remettre à ma place, dit-il à Georgia. Quand elle est là, j'ai toujours l'impression que l'on va m'envoyer au coin pour une bêtise quelconque.

— Tu n'as pas été puni moitié autant que moi, répliqua Georgia. Tu as toujours été son chou-chou.

— Pourquoi pas ? dit Charles. J'étais très séduisant quand j'étais petit.

— C'est pourquoi je te tirais les cheveux, rétorqua Georgia, et si tu continues comme ça, je recommencerai.

Ils rirent et se taquinèrent jusqu'à ce que Georgia s'aperçoive que le duc, étrangement silencieux, l'observait. La phrase qu'elle s'apprêtait à prononcer mourut sur ses lèvres et elle se mit à boire son café à petites gorgées sans lever les yeux.

— A propos, s'écria Charles la bouche pleine, j'ai trouvé que la nage de nos hommes s'était améliorée d'une façon fantastique ; jamais ils n'ont souqué aussi ferme et aussi en cadence. C'est une bonne chose qu'ils se soient exercés, sans quoi nous n'aurions pas réussi à nous éloigner à temps hors de portée du fusil des sentinelles.

— C'est une bonne chose vraiment qu'ils aient eu tant de pratique, croyez-vous ? questionna le duc, sarcastique.

Charles le regarda et eut la pudeur de prendre l'air gêné.

— Non, monsieur, je parlais sans réfléchir.

— Votre sœur a risqué sa vie à traverser la Manche avec de la contrebande, reprit le duc.

— Je m'y serais opposé si j'avais été là, protesta Charles vivement.

— Non, je présume que vous auriez été contraint d'y aller vous-même, riposta le duc, mais cela ne vous décharge pas de votre responsabilité envers vos tenanciers qui ont été forcés d'enfreindre la loi et de mettre en danger leur vie et leur liberté de la façon la plus injustifiable.

— Je ne pensais pas que Georgia serait impliquée dans cette histoire. C'est une affaire diablement compliquée, mais peut-être pourrais-je vous expliquer ce qui s'est passé ?

— Je suis au courant de tout, répliqua le duc, et votre confession a été détruite.

— Détruite ? s'écria Charles. Vous voulez dire que vous l'avez reprise à ma belle-mère ? Oh, monsieur, que dirais-je ? Je ne sais comment vous exprimer ma gratitude.

— Pour écrire quelque chose d'aussi compromettant, il fallait que vous ayez perdu la raison, dit le duc sèchement.

— Oui, je le sais bien, reconnut Charles penaud.

— Tout est bien qui finit bien, intervint Pereguine, alors cesse donc de morigéner ce gamin, Trydon, et faisons nos plans pour retourner à Londres.

En ce qui me concerne, j'ai besoin de me reposer avant d'entreprendre un nouveau voyage.

— Je vais préparer les chambres, dit vivement Georgia.

Elle se sentait incapable de supporter plus longtemps de voir ainsi clouer Charles au pilori. Elle comprenait qu'il le méritait et que le duc avait raison de se montrer sévère. En même temps, elle se disait que personne n'aurait guère tenu rigueur à Charles si elle-même n'avait pas été en cause.

Au moment où elle quittait la salle à manger, Nounou apparut avec les pigeons dorés à point et dressés sur un plat avec du cresson cueilli au bord du ruisseau. Georgia savait que l'exclamation de plaisir de Charles était la seule récompense que souhaitait la vieille femme : elle adorait bourrer de bonne cuisine ses petits, comme elle les appelait, Charles en particulier.

— Je vais préparer les lits dans les chambres d'invités, lui dit Georgia. Quand ils seront reposés, ces messieurs repartiront pour Londres.

— Nous n'avons pas besoin de nous mettre en route avant quatre heures, protesta Pereguine. Cela nous laissera encore assez de jour pour arriver en ville et nous permettre de passer une bonne soirée.

Ces paroles firent à Georgia l'effet d'un coup de poignard au cœur : « une bonne soirée ! » et comme pour mettre le comble à la mesure Charles demanda avec vivacité :

— Puis-je venir avec vous ? Il faut que je passe à

l'Amirauté demain matin. Je dois annoncer mon retour et prendre les dispositions nécessaires pour tâcher de rejoindre mon bateau.

— Oui, certes, dit le duc. Vous devez remettre votre rapport le plus tôt possible aux lords de l'Amirauté.

Incapable d'en supporter davantage, Georgia quitta la salle à manger hâtivement, suivit le couloir et monta l'escalier. Elle entra dans les deux chambres principales et ouvrit les rideaux. Les pièces étaient propres et en ordre ; les draps des lits étaient en toile blanche immaculée fleurant bon la lavande qu'elle et sa nourrice mettaient chaque année en sachets pour parfumer la lingerie. Elle veilla à ce qu'il y eût de l'eau dans les fontaines de faïence et du savon dans les coupes placées à côté. Puis elle se rendit dans sa chambre.

Elle ferma la porte et, se jetant à plat ventre sur son lit, enfouit son visage dans l'oreiller. C'était fini, ils partiraient tous dans le courant de l'après-midi et elle ne reverrait jamais le duc. Il retournerait vers le monde qui était le sien et elle resterait seule ici à lutter comme devant contre la pauvreté, les difficultés du domaine, le perpétuel problème de trouver l'argent pour payer le pain même qui leur était nécessaire. Mais rien de tout cela ne comptait auprès du fait que le duc, en s'en allant, emporterait son cœur. Folle, folle qu'elle était d'être tombée amoureuse ! Mais comment aurait-elle pu s'en empêcher ?

Elle s'était rendu compte dès l'abord qu'il était

301

différent. Encore maintenant, elle le revoyait quand il était arrivé à cheval dans la crique. Quelque chose dans son maintien, dans sa voix calme et cultivée, lui avait dit qu'il entrait dans sa vie et qu'elle ne pourrait plus jamais l'oublier.

Elle repassa en esprit tous les instants qu'ils avaient vécus ensemble — quand ses lèvres avaient effleuré sa joue ; la chaleur de ses mains quand il s'était penché vers elle dans la voiture. Elle le revoyait assommant le Français, puis se redressant au-dessus du corps inerte. Ce faisant, il avait levé les yeux et leurs regards s'étaient rencontrés. Presque comme s'il déposait son triomphe aux pieds de Georgia.

« Je l'aime. » Elle l'avait dit si souvent maintenant que les mots auraient pu devenir une litanie machinale, mais chaque fois ils provoquaient chez elle un coup au cœur, une contraction de sa gorge.

Elle resta ainsi longtemps ; puis elle se leva et, avec lenteur, prit sa valise dans un placard pour commencer à emballer les vêtements qu'elle avait apportés de Londres. Elle les mit tous : l'élégant manteau de voyage couleur corail ; les robes de gaze et les robes brodées ; les sous-vêtements garnis de dentelle qui, avait insisté la douairière, allaient avec les robes ; les souliers de satin si menus qu'elle se demandait qui d'autre pourrait les chausser.

Finalement, avec un léger soupir, Georgia enleva la robe qu'elle portait et la plia sur les autres. Elle inspecta son armoire ; il n'y avait là que les vieilles robes usées qu'elle portait auparavant — elle ne s'était rendu compte de leur état de délabrement qu'en les comparant avec les élégantes créations de Madame Bertin.

Alors, bien féminine en cela, ne voulant pas que le duc se souvienne d'elle autrement que sous son meilleur jour, elle reprit la robe qu'elle venait de poser et l'enfila. Elle n'avait jamais possédé de toilette plus seyante que cette fraîche mousseline immaculée, avec ses étroits rubans bleus sur les épaules et la large ceinture à nœud bouffant autour de la taille.

Comme le soleil se déversait à flots par la fenêtre, elle sut qu'elle n'avait pas besoin de sa veste de taffetas assortie à la robe. Le cou et les bras nus, elle descendit silencieusement l'escalier. Elle devait renvoyer les vêtements à la douairière et lui écrire une lettre de remerciements. Elle y joindrait un gros bouquet de roses du jardin. Peut-être leur parfum exprimerait-il sa gratitude mieux qu'elle ne saurait le faire avec des mots.

Un profond silence régnait dans la maison. Nounou se trouvait probablement à la cuisine en train de préparer des gâteries pour son Charles bienaimé ; le duc et Pereguine dormaient sans doute. Georgia passa devant leurs chambres sur la pointe des pieds. Le soleil était au zénith et elle resta sous l'ombre des arbres pour gagner la roseraie. Les bras pleins de roses, les fleurs favorites de sa mère, elle s'immobilisa un moment pour contempler les lieux où elle avait vécu toute sa jeunesse.

Brusquement, elle se demanda ce qu'elle allait devenir. Dans quelques années, Charles se marierait ; il viendrait habiter ici avec sa femme et elle-même n'aurait plus sa place au domaine, ni nulle part ailleurs. Nounou prendrait sa retraite — elles avaient souvent parlé de son installation dans le petit cottage au bout de l'avenue.

« Dans quelque direction que je me tourne, la solitude sera mon lot », pensa Georgia. Depuis la mort de sa mère, il n'y avait personne qui tînt vraiment à elle. Nounou l'aimait beaucoup, certes, mais c'était Charles qui avait sa préférence. Un instant, elle fut sur le point de regretter de ne plus avoir à affronter l'anxiété et les périls de ces expéditions de l'autre côté de la Manche. Elles avaient du moins rompu la monotonie de ses journées. Peut-être était-il préférable d'avoir peur que de ne rien ressentir du tout.

Elle se refusa à s'attendrir plus longtemps sur elle-même : mieux valait avoir eu tout cela que de n'avoir rien connu. Mieux valait aimer de tout son cœur comme maintenant, quand bien même cet amour lui apporterait seulement du chagrin, plutôt que de n'avoir jamais rencontré le duc. Elle l'imagina de retour à Londres, parmi la foule éclatante et gaie qui gravitait autour du prince. Elle l'imagina entouré de femmes qui lui tendaient des pièges, des femmes qui lui faisaient des avances et des femmes que, d'après la douairière, lui-même courtisait. Comme elle les enviait !

L'avant-veille, il l'avait trouvée jolie, d'autres

avaient dit qu'elle était belle, mais elle se sentait terriblement malhabile et désarmée quand elle se comparait à ces femmes brillantes et sophistiquées qui régnaient sur Londres. Qu'avait-elle à offrir à quelqu'un ? Elle rit amèrement tout bas à l'idée qu'elle aurait pu envisager de rivaliser avec elles !

Elle retourna à la maison avec sa brassée de roses et entra dans le salon par une des portes-fenêtres restée ouverte. Elle croyait la pièce vide et poussa une exclamation de surprise en apercevant le duc, l'air dispos et élégant à l'extrême, debout près de la cheminée.

— Je... je croyais que vous dormiez, balbutia-t-elle.

— Je ne tenais pas particulièrement à me reposer, répliqua le duc. J'ai d'autres choses que je souhaitais faire.

— Vous désirez partir plus tôt ? questionna Georgia.

— Je veux vous parler, répondit-il.

Elle le regarda sans rien dire. Elle formait un tableau propre à enchanter n'importe quel peintre avec sa robe blanche et ses bras pleins de fleurs odorantes. Elle les posa sur le bureau et, après les avoir contemplées, dit au bout d'un moment sans lever les yeux :

— Je les ai cueillies pour Lady Carrington. Voudriez-vous avoir l'obligeance de les lui apporter avec mes remerciements ? Il y a... il y aura aussi ma valise.

— Votre valise ? répéta le duc. Pourquoi voulez-vous la lui envoyer ?

— Sa Seigneurie m'a donné ces robes dans un but précis, répliqua Georgia, les yeux toujours fixés sur les roses. Ce but est atteint. Je ne voudrais pas conserver quelque chose à quoi je n'ai pas droit.

— Je ne vois pas qui pourrait les mériter autant, que dis-je ? mieux que vous. Sans votre aide, Georgia, le prince serait mort.

— Le mérite ne m'en revient pas. C'est vous qui avez pensé à tout ; c'est vous qui l'avez sauvé.

— Je n'aurais pas surveillé le comte St. Clare si vous ne m'aviez pas indiqué que c'était lui le voyageur à qui vous aviez fait traverser la mer, dit le duc. Vous devez accepter nos remerciements. Nous vous sommes profondément reconnaissants.

— Je n'ai que faire de votre reconnaissance, protesta Georgia. Au contraire, c'est moi qui suis redevable à Votre Grâce pour avoir sauvé Charles. Encore maintenant, j'ai du mal à y croire ! J'ai l'impression de rêver.

— Charles est un jeune homme qui a beaucoup de chance et je le lui ai signifié en propres termes.

— Vous n'avez pas été trop dur avec lui ? questionna-t-elle vivement en fronçant légèrement les sourcils. Il est jeune, il est insouciant et il jouit tellement de la vie qu'il oublie toujours de penser aux conséquences.

— Il est manifeste que vous avez eu non seulement à réfléchir à sa place, mais encore à endosser ses responsabilités.

— Vous avez été sévère avec lui, s'indigna Georgia. Ce n'était pas nécessaire.

— Je pense que votre père, s'il avait vécu, lui aurait parlé à peu près de la même façon. Mais ne vous mettez pas sens dessus dessous, Charles n'est pas le moins du monde abattu. En fait, la seule chose qui le préoccupe à présent, c'est de conduire mon phaéton et je me creuse la cervelle pour protéger mes chevaux en trouvant un motif de refus plausible.

Georgia rit.

— Charles est incorrigible. Il était pareil quand il était enfant, personne ne pouvait lui en vouloir longtemps. Il éprouvait de réels regrets quand il s'était mal conduit mais, quelques minutes après, il avait tout oublié.

— L'endroit qui convient à Charles, c'est celui où il est si désireux d'être, dit le duc. Sur son navire. Il a le genre d'ardeur qu'appréciait tant feu Lord Nelson. Un jour, Charles fera un excellent amiral, très ouvert au progrès.

Georgia rit de nouveau.

— Vous envisagez un avenir bien lointain. Je ne vois Charles que comme un petit garçon assez insupportable. Vous le voyez déjà vieillard.

— Et vous, comment vous voyez-vous ?

Le sourire s'effaça sur le visage de Georgia.

— Je ne comprends pas ce que vous voulez dire.

— Je crois que si, riposta le duc, mais faut-il

vraiment que nous parlions avec la moitié de la
pièce entre nous. Venez ici, Georgia.

Il y eut un petit silence, puis elle dit précipitamment :

— Excusez-moi, mais je ne peux pas rester à
bavarder avec Votre Grâce, car j'ai trop à faire.

— Vraiment ? s'étonna le duc. Et cela ne peut pas
attendre ?

— Non... je... non... j'ai une... une lettre à
écrire.

— Cessez donc d'essayer de fuir, répliqua calmement le duc.

— Je ne suis... je veux dire...

Georgia voulut le regarder, mais ne put s'y
résoudre.

— Si vous ne venez pas à moi, alors c'est moi qui
irai à vous.

Et le duc franchit l'espace qui les séparait.

Georgia tremblait en le sentant si près d'elle, mais
elle continua à fixer les fleurs qu'elle prenait une
par une sur le bureau pour en faire un bouquet.

— Je pense, reprit le duc de la même voix calme,
qu'il est temps que nous parlions tous les deux de
votre mari.

Les doigts de Georgia s'immobilisèrent et elle
devint rigide de la tête aux pieds.

— Mon... mon mari ?

— Oui, dit le duc, je suis un peu inquiet à son
sujet.

— Il n'y a pas de raison, murmura-t-elle.

— Oh, que si, car personne ne paraît savoir où il

se trouve. En fait, Charles m'apprend qu'il n'a jamais entendu parler de ce gentilhomme.

— Je me suis mariée pendant que Charles était... en mer, expliqua Georgia. Ils ne se connaissent pas. En fait, Charles ne sait pas grand-chose de mon... mon mariage.

— C'est évident.

Le silence se rétablit jusqu'à ce que le duc demande d'une voix encore plus douce :

— Dites-moi, Georgia, avez-vous jamais appartenu à un homme ?

Les pupilles de Georgia se dilatèrent, elle revit en pensée le visage diabolique de Lord Ravenscroft. Le sang lui monta aux joues et elle détourna brusquement la tête.

— Non ! Non ! s'écria-t-elle avec emportement. Comment pouvez-vous demander une chose pareille ?

Le duc eut un sourire tendre. Il se pencha en avant pour prendre sa main gauche dans la sienne, la regarda et retira très doucement de son annulaire l'alliance en or.

— Dans ce cas, demanda-t-il à mi-voix, ceci n'est-il pas de trop ?

Au contact de ses doigts, Georgia frissonna. Trop tard, elle lui arracha sa main, lui laissant l'anneau.

— Le stratagème était bon, commenta le duc. Il m'a profondément bouleversé jusqu'à ce que je comprenne la vérité.

— Vous avez deviné ? questionna Georgia.

— Je sais bien qu'on ne peut pas avoir tant

d'innocence dans l'apparence ou le maintien sans
être une jeune fille.

Elle rougit de nouveau et se mit à rassembler les
roses.

— C'était un subterfuge pour tromper les amis de
ma belle-mère, dit-elle. Maintenant, je peux être
moi-même.

— Pour moi, vous l'avez toujours été, répliqua le
duc. Georgia, pourquoi persister à feindre qu'il n'y a
rien entre nous ? Vous m'avez combattu assez longtemps et je ne peux pas vous dire combien j'ai souffert à l'idée que vous étiez inaccessible puisque je
croyais que vous étiez liée à un autre.

Elle laissa tomber les roses et, se retournant vivement vers lui, le dévisagea :

— Je vous ai fait souffrir ? — Elle parlait d'une
voix à peine audible.

— Je vous dirai un jour à quel point. Voyez-vous,
petite Georgia, j'étais persuadé que mon amour était
de la contrebande.

Elle le regardait, immobile, les yeux brillants
comme des étoiles, les lèvres tremblantes. Elle avait
l'impression que le monde entier baignait dans une
lumière dorée. Les oiseaux chantaient au-dehors et
une étrange chaleur l'envahissait, une flamme montait dans son cœur ; puis elle détourna la tête et
rompit le charme.

— Vous vous jouez de moi, dit-elle durement.
Repartez pour Londres vers les gens que vous
connaissez et qui sont de votre milieu. Ils vous
attendent.

— Nul ne m'attend, dit le duc, sauf une personne, j'espère.

— Qui donc ?

Elle n'avait pu s'empêcher de poser la question.

— Vous, répondit-il.

— C'est impossible ! protesta-t-elle. Ne voyez-vous pas que c'est impossible ? Il y a toutes ces femmes et... et...

— Et le fait que je suis duc, acheva-t-il avec un léger sourire. Ne pourriez-vous donc pas oublier que, par pur hasard et sans aucune intervention de ma part, j'ai hérité un titre de noblesse ?

— Vous vous moquez de moi, dit-elle farouchement. Vous savez bien que nous vivons dans un monde différent.

— A une ou deux occasions, répliqua le duc, j'ai eu des raisons de croire que ces deux mondes se rejoignaient puisque nous étions proches l'un de l'autre. Ce soir-là dans la bibliothèque, Georgia, il n'y avait que vous et moi. Et la nuit dernière, quand je vous ai laissée m'accompagner contre mon gré dans cette expédition dangereuse, je me suis dit que si nous mourrions tous les deux, cela n'aurait pas grande importance parce que nous serions ensemble.

Elle leva alors la tête vers lui et il vit les larmes affleurer dans ses yeux.

— Vous avez pensé cela ? Je me suis dit la même chose. Quand je vous ai aperçu qui regardiez vers le haut des remparts, j'ai compris que s'il vous arrivait quelque chose la vie n'aurait plus de sens pour moi.

Il plongea son regard dans le sien avec une expression de tendresse que personne encore n'avait lue sur son visage.

— Alors, ma chérie, demanda-t-il tout doucement, pourquoi discutez-vous avec moi ? Je vous aime, que voulez-vous que je dise de plus ?

— Mais vous ne pouvez pas ! C'est impossible ! Qu'ai-je à vous offrir ? Je suis si ignorante, je ne fais pas partie de ce monde élégant de gens sophistiqués, de princes et de ducs, de bals, de raouts et de réceptions. Je ne suis que Georgia des Quatre-Vents. Une fille toute simple.

— Mais qui est pour moi la plus merveilleuse, la plus belle et la plus séduisante personne de la terre, répondit le duc.

Il l'attira tout contre lui. Pendant un instant, elle blottit sa tête contre son épaule, puis il passa les doigts sous son menton pour relever son visage menu.

— Si petite, si vulnérable et si courageuse, dit-il. Qu'est-ce qu'un homme peut demander de plus ?

— Vous... vous vous trompez..., dit Georgia qui essayait de lutter contre l'éblouissement qui la paralysait. Il y a toutes ces autres... ces autres femmes, avez-vous pensé à elles ?

— Je ne veux plus en entendre parler, répliqua le duc. Oh, mon amour, que tu es stupide ! Ne comprends-tu pas ce qui nous arrive ?

Elle aspira l'air profondément. Il posa ses lèvres

sur les siennes, la retenant captive et l'empêchant de parler. Elle ne put que s'abandonner à la joie folle qui l'envahissait, comme la flamme dévorante d'un incendie. Elle avait l'impression qu'ils ne formaient plus qu'un seul et même être uni pour l'éternité. Comme il resserrait encore son étreinte, elle comprit qu'elle ne souffrirait plus jamais de la solitude, que plus jamais elle ne se sentirait délaissée...

Ils perdirent le compte du temps. Quand enfin le duc releva la tête, il regarda ses lèvres entrouvertes et dit à mi-voix :

— J'ai cru que je n'arriverais jamais à te convaincre qu'un duc est, somme toute, un homme comme les autres.

Elle eut un petit rire et lui noua instinctivement les bras autour du cou pour abaisser sa tête vers elle. Il lui résista un instant.

— Attends, s'écria-t-il, tu ne m'as pas encore dit pourquoi tu acceptes de m'épouser ! Je veux entendre de ta propre bouche ces mots que j'ai tant espérés mais que je croyais ne jamais avoir le droit de te demander. Dis-les-moi, Georgia.

Alors, tout bas, si bas qu'il dut se courber pour l'entendre, elle murmura :

— Je t'aime, Trydon... je t'aime de tout mon cœur.

PRODUCTION
EDITO-SERVICE S.A., GENÈVE

IMPRIMÉ EN ITALIE